Bob Flaws

Chinesische Heilkunde für Kinder

Wie sich Kinderkrankheiten heilen und vermeiden lassen
Ein praktischer Ratgeber für Eltern

JOY
VERLAG

Impressum:

© Copyright 1996 by Blue Poppy Press, Boulder, Co, USA
Titel der amerikanischen Originalausgabe: *Keeping Your Child Healthy with Chinese Medicine* by Bob Flaws
Übersetzung aus dem Amerikanischen: Eva Boltenhagen

10 9 8 7 6 5 4 3 2 1

© 1998 für die deutsche Ausgabe by Joy Verlag GmbH, Sulzberg
Das gesamte Werk, einschließlich all seiner Teile, ist urheberrechtlich geschützt. Das gilt insbesondere für Vervielfältigungen, Übersetzungen, Mikroverfilmungen und die Einspeicherung und Verarbeitung in elektronischen Systemen.

Umschlaggestaltung: Kuhn Grafik, Digitales Design, Zürich
Übersetzung aus dem Amerikanischen: Eva Boltenhagen
Layout/Satz: *panta rhei!* – MediaService, Uwe Hiltmann, Niedernhausen/Ts.
Zeichnungen im Innenteil: Heike Cobaugh, Wiesbaden
Grafiken: Uwe Hiltmann, Niedernhausen/Ts.
Druck: Gutenberg Press, Malta

ISBN 3-928554-25-5

Printed in Malta

Inhaltsverzeichnis

Vorwort

Das vorliegende Buch ist eine für den Laien gedachte Einführung in die Traditionelle Chinesische Kinderheilkunde. Es wendet sich primär an Eltern und versteht sich nicht als klinisches Nachschlagewerk für Ärzte. Vielmehr enthält es die meiner Meinung nach grundlegenden Informationen, wie Eltern ihre Kinder bei bester Gesundheit erhalten können. Darüber hinaus führt es eine Reihe von Hausmitteln auf und beschreibt den Eltern, wie professionelle TCM-Ärzte bestimmte Kinderkrankheiten behandeln. Die Krankheiten sind jeweils nach Auftrittsalter und Häufigkeit sortiert, d. h. es beginnt mit den für Neugeborene und Säuglinge typischen Beschwerden wie Gelbsucht und Kolik. Infektionskrankheiten wie Masern oder Mumps sind zwar hier am Ende der Liste aufgeführt, können aber Kinder jeder Altersklasse treffen. Die letzte Kategorie Beschwerden sind Wunden und Verletzungen, die ebenfalls in jedem beliebigen Alter auftreten können, aber eher für etwas ältere Kinder typisch sind, die bereits im Freien mit Altersgenossen spielen.

Wenn Ihr Kind krank wird und mit einfachen Mittel aus der Hausapotheke nicht zu kurieren ist, kann ich Ihnen nur raten, sich an einen erfahrenen Arzt oder Heilpraktiker zu wenden, der sich mit Chinesischer Kinderheilkunde auskennt. Sollte es sich wirklich als notwendig erweisen, das Kind zu einem „normalen" Kinderarzt oder in die Klinik zu bringen, wird ein verantwortungsbewußter TCM-Spezialist dies den Eltern auch im Bedarfsfall umgehend mitteilen.

Die Chinesische Medizin ist heute der aufsteigende Stern am Himmel der Alternativmedizin. Für viele gesundheitliche Probleme, die die westliche Schulmedizin nicht oder nicht ausreichend lösen kann, bietet die Chinesische Medizin wirkungsvolle Behandlungsmethoden. Eine der Stärken der Chinesischen Medizin besteht darin, daß sie auf einfache und logische Weise erklärt, warum wir eine spezielle Krankheit bekommen und wie man auf der Grundlage dieses Wissens diese Krankheit nicht nur heilen, sondern ihr auch vorbeugen kann. Die Chinesische Medizin verleiht dem einzelnen damit sehr viel Kraft und Einsicht zur Selbstbestimmung, so daß der Betreffende in Eigenverantwortung für seinen Körper handeln kann.

Als Arzt konzentriere ich mich tagtäglich auf die Behandlung von Krankheiten, die bereits ausgebrochen bzw. aufgetreten sind. Ein altbewährtes Prinzip der Chinesischen Medizin ist es jedoch, daß der weise Arzt seine Patienten nicht nur im Krankheitsfall therapiert, sondern ihnen vielmehr erklärt, wie sie Krankheiten vermeiden können. Eine bereits ausgebrochene Krankheit zu behandeln, so heißt es in den klassischen Lehrbüchern der Chinesischen Medizin, sei so, als ob man den Brunnen erst gräbt, wenn man bereits Durst hat oder Speere schmiedet, nachdem der Krieg bereits ausgebrochen ist. Daher ist es mein großer Wunsch, dieses alte chinesische Wissen um Gesundheit und Vorbeugung von Krankheiten einer möglichst großen Leserschaft mitzuteilen. So ist das vorliegende Werk und auch andere Bücher, die ich für interessierte Laien geschrieben habe, sind aus diesem Wunsch heraus entstanden.

Das in diesem Buch enthaltene Material stammt hauptsächlich aus drei Quellen, nämlich zum einen aus meiner Ausbildung in Chinesischer Kinderheilkunde an der Fakultät für Traditionelle Chinesische Medizin der Universität Schanghai, zweitens aus der chinesischen Fachliteratur über Kinderheilkunde und drittens aus meiner nunmehr über 18jährigen Praxiserfahrung im Umgang mit Akupunktur und Chinesischer Medizin. Einen ebenso wichtigen Erfahrungsschatz konnte ich aber auch zusammen mit meiner Frau in unserer Rolle als Eltern sammeln, die uns viele der schwierigen Entscheidungen, von denen hier im Buch die Rede ist, selbst auferlegt hat. Wie viele Eltern, die dieses Buch lesen, habe auch ich zahlreiche schlaflose Nächte am Krankenbett meines Kindes verbracht. Ein Großteil der in diesem Buch enthaltenen Informationen stammt daher nicht nur aus meinen Erfahrungen bei der Behandlung anderer Kinder, sondern aus der direkten Umsetzung dieses Wissens innerhalb meiner eigenen Familie. Ich hoffe daher aufrichtig, daß das in diesem Buch enthaltene Wissen bei Ihren Kindern genauso gut wirkt wie bei meinen eigenen.

Bob Flaws, Boulder, CO

Kapitel 1

Einführung in die Traditionelle Chinesische Medizin

Als Arzt praktiziere ich selbst Traditionelle Chinesische Medizin (TCM). In den letzten 18 Jahren habe ich mich dabei auf die Behandlung gynäkologischer Beschwerden spezialisiert. Als meine Patienten – vorwiegend Frauen – feststellten, wie gut TCM bei ihnen anspricht, fragten sie mich häufig, ob ich auch ihre Kinder behandeln könnte. Auf diese Weise konnte ich reichlich Erfahrung bei den jungen Patienten sammeln, die die Chinesen liebevoll „unsere kleinen Freunde" nennen. Abgesehen davon behandle ich Kinder auch besonders gerne, zum einen weil es Spaß macht, mit ihnen zu arbeiten und zum anderen weil gerade bei ihnen die Chinesische Medizin besonders gut wirkt. Da ich selber Kinder habe, weiß ich auch, wie sehr man sich als Eltern um die Gesundheit der Kinder sorgt. Aus diesem Grund habe ich das vorliegende Buch geschrieben, um vielen Eltern mein Wissen über den Einsatz von TCM bei Kinderkrankheiten zu vermitteln.

Was ist TCM?

TCM ist die Art der Chinesischen Medizin, die an den zirka 30 großen medizinischen Fakultäten der Volksrepublik China gelehrt wird. Geschichtlich gesehen reicht dieses Wissen über 2.000 Jahre zurück. Obwohl sich TCM zum Teil auf alte chinesische Volksweisheit gründet, handelt es sich hierbei doch um eine hochentwickelte, professionelle medizinische Wissenschaft. Theoretisches und praktisches Wissen der Chinesischen Medizin wurden von den berühmtesten Köpfen Chinas entwickelt und aufgezeichnet. Man schätzt, daß bereits vor Beginn des 20. Jahrhunderts etwa 30.000 Bände medizinischer Literatur zu diesem Thema existierten und seitdem weitere zigtausend veröffentlicht wurden. In chinesischen Fachzeitschriften werden jährlich gut hunderttausend Artikel über TCM verfaßt, vorwiegend Studien zur Wirksamkeit spezieller Behandlungen bei bestimmten Krankheiten. TCM ist daher keine simple Volksmedizin, sondern eine profunde Wissenschaft, die bereits hoch entwickelt war, als sich Europa noch im tiefsten Mittelalter befand.

Funktioniert TCM auch in der westlichen Welt?

China ist ein riesiges Land, vergleichbar in der Größe mit den USA. Es erstreckt sich von der subarktischen Tundra im Norden bis in die tropischen Gefilde des Südens. Von der feuchten Meeresküste im Osten reicht es bis in die trockenen Hochwüsten Tibets und Turkestans im Westen. In China leben über 200 verschiedene Rassen, die alle unterschiedliche Lebens-, Arbeits- und Eßgewohnheiten haben. China ist daher ein vielschichtiges Land mit enormen Bevölkerungsunterschieden und trotzdem wirkte die Chinesische Medizin nachweislich über die Jahrhunderte in ganz China.

Darüber hinaus ist TCM momentan der aufsteigende Stern am Himmel der Alternativ- und Komplementärmedizin. Inzwischen wird TCM von verschiedensten Ärzten auf der ganzen Welt, nicht nur im asiatischen Raum praktiziert. Und man hat festgestellt, daß TCM überall funktioniert – unabhängig vom jeweiligen Klima und der jeweiligen Bevölkerung. TCM wirkt sogar so gut, daß die Weltgesundheitsorganisation WHO empfohlen hat, sie im 21. Jahrhundert auf der ganzen Welt zu verbreiten.

Was stimmt an unserer westlichen Medizin nicht?

Es ist unbestritten, daß die westliche Schulmedizin in den letzten 150 Jahre großartige Erfolge erzielt hat. In einem Artikel im englischsprachigen Nachrichtenmagazin „Newsweek" (vom 8. Januar 1996) war von einer Umfrage die Rede, die ergeben hat, daß 1966 noch 73 % der Amerikaner großes Vertrauen in die Schulmedizin hatten, wohingegen heute nur noch 23 % dieses Vertrauen angaben. In den letzten 30 Jahren sind immer mehr Menschen auf die Nebenwirkungen und Mängel der modernen Schulmedizin aufmerksam geworden. Die übermäßige Verabreichung von Antibiotika hat vor allem bei Kindern zu ernsthaften Problemen geführt: man befürchtet, daß gerade die Häufigkeit der Ohrinfektionen bei Kindern und die zahlreichen Allergien auf übermäßige Antibiotikabehandlung zurückzuführen sind. Eltern, deren Kinder immer wieder an Ohrinfekten leiden und die wiederholt Antibiotika verabreicht bekommen, sollten sich bewußt sein, daß diese Maßnahme ihre Grenzen hat. Natürlich hat auch die Traditionelle Chinesische Medizin ihre Grenzen. TCM und die moderne Schulmedizin können sich jedoch auf wunderbare Weise ergänzen: was der einen fehlt, hat die andere und umgekehrt.

Was ist an der Chinesischen Medizin so besonders?

Die Chinesische Medizin ist die älteste schriftlich belegte und ausgeübte medizinische Wissenschaft der Welt. Sie wird von einem Viertel der Weltbevölkerung angewandt und gilt inzwischen als anerkannteste professionelle Alternativmedizin weltweit. Das Interessante an TCM ist nicht nur die Tatsache, *daß* sie funktioniert, sondern ihre Wirkungsweise als solche. Die moderne westliche Schulmedizin behandelt lediglich die Krankheit. Mit TCM hingegen wird der gesamte Mensch behandelt und wieder ins Gleichgewicht gebracht.

In der Traditionellen Chinesischen Medizin gilt der Grundsatz:

Gleiche Krankheit, unterschiedliche Behandlung; verschiedene Krankeiten, gleiche Behandlung.

Wenn also zwei Patienten an der gleichen Krankheit leiden, beispielsweise an einer Mandelentzündung, bedeutet dies, daß sie nach TCM unter Umständen völlig unterschiedlich behandelt werden. Anders herum kann es auch geschehen, daß zwei Patienten mit ganz verschiedenen Krankheiten nach TCM die gleiche Behandlung erhalten. Das liegt daran, daß der TCM-Arzt Ungleichgewichte und Disharmonien behandelt und nicht nur die Krankheit als solches. Wenn zwei Patienten mit der gleichen Krankheit unterschiedliche Disharmonie-Muster aufweisen, werden sie auch verschieden therapiert. Mit anderen Worten: was beim einen wirkt, muß nicht auch beim anderen wirken oder kann sogar Nebenwirkungen hervorrufen, da das Gesamtmuster ein anderes ist. Wenn hingegen zwei Patienten unterschiedliche Krankheiten aufweisen, ihre Muster aber gleich sind, werden sie wahrscheinlich die gleiche Behandlung erhalten, da ihre Gesamtdisharmonie grundsätzlich gleich ist.

Wir haben alle schon die Erfahrung gemacht, daß ein bestimmtes Medikament bei einem Bekannten oder Freund gut gewirkt hat, bei uns selbst jedoch nicht oder gar Nebenwirkungen zeigte, obwohl wir doch über die gleichen Beschwerden klagten. Das liegt daran, daß wir nicht das gleiche Gesamt-Disharmoniemuster aufwiesen wie unser Freund oder Bekannter. Wenn man eine Krankheit diagnostiziert, stützt man sich dabei auf bestimmte Symptome, die für diese Krankheit charakteristisch sind. Jemand, der zum Beispiel an Migräne leidet, hat Kopfschmerzen. Sonst könnte man nicht von Migräne sprechen. Zwei Menschen, die jeweils an Migräne leiden, können jedoch noch weitere zusätzliche Symptome aufweisen, die unterschiedlich gelagert sind. Genau diese Begleiterscheinungen sind es jedoch, die von der westlichen Schulmedizin als unwesentlicher Bestandteil der Diagnose übersehen, in der Chinesischen Medizin hingegen zur Beschreibung des Disharmonie-Musters herangezogen werden.

Ein Grundprinzip der TCM besteht darin, daß Heilung nur durch die Wiederherstellung von Harmonie und Gleichgewicht im menschlichen Organismus erfolgen kann. Wir sind jedoch alle auf so vielerlei Art aus dem Gleichgewicht geraten und können daher nicht alle mit ein und derselben Behandlung geheilt werden, selbst wenn wir nach westlicher Diagnose an der gleichen Krankheit litten. Der große Vorteil, den TCM den Menschen auf der ganzen Welt bietet, ist die Möglichkeit, die Disharmoniemuster und das Ungleichgewicht eines jeden einzelnen festzustellen und darüber hinaus für diesen speziellen Patienten genau das richtige Medikament oder die richtige Behandlungsweise herauszufinden, die ihn ohne kurz- oder langfristige Nebenwirkungen wieder ins Gleichgewicht bringt und damit heilt.

Warum ist TCM besonders zur Behandlung von Kindern geeignet?

Medizin ist eine komplizierte Wissenschaft. Selbst nach zwei Jahrzehnten Studium und Praxis gibt es eine Menge Bereiche, bei denen ich noch meine Zweifel habe. Mit absoluter Sicherheit kann ich jedoch sagen, daß TCM in der Kinderheilkunde eine ideale Lösung zur Behandlung der am häufigsten auftretenden Kinderkrankheiten darstellt. Während bei Erwachsenen Diagnose und Behandlung aufgrund der Komplexität einer Krankheit oftmals schwierig sind, ist die Kernursache bei Kinderkrankheiten meist die gleiche. Und die Chinesische Medizin greift besonders gut diesen Kernaspekt auf. Außerdem habe ich festgestellt, daß TCM auch dort noch erstaunliche Heilerfolge erzielte, wo selbst Unmengen von Antibiotika wirkungslos verpufften. Aus diesem Grund ist es mir ein Anliegen, Eltern TCM als wirkungsvolles Mittel zur Erhaltung der Gesundheit unserer lieben Kleinen nahezubringen.

Kapitel 2

Die Hauptursachen der meisten Kinderkrankheiten

Die Traditionelle Chinesische Medizin sieht Kinder nicht einfach als kleine Erwachsene, sondern als körperlich und funktionell noch „unreif". Ein Großteil der herkömmlichen Kinderkrankheiten läßt sich daher auf diese körperliche Unreife zurückführen. In der chinesischen Physiologie heißt es auch: „Eingeweide und Darmtrakt sind noch zart und empfindlich; Form (d. h. der Körper) und Chi sind noch nicht voll [entwickelt]". Dieser Spruch, den jeder TCM-Kinderarzt auswendig lernen muß, wird von den folgenden Zitaten aus der chinesischen Medizinliteratur noch unterstützt. So heißt es etwa im *Ling Shu („Göttlicher Angelpunkt")*, einem der beiden Bände des *Nei Jing*, einem Klassiker der chinesischen Medizinliteratur: „Das Fleisch ist bei Kindern noch zerbrechlich, das Blut kärglich und das Chi schwach." Im *Zhu Bing Yuan Hou Lun („Abhandlung über den Ursprung und die Symptome verschiedener Krankheiten")*, das um etwa 650 v. Chr. entstand, liest man: „Das Chi in den Eingeweiden von Kindern ist noch weich und schwach." Im später erschienenen *Xiao Er Yao Zheng Zhi („Grundlegende Muster und Behandlungsweisen in der Kinderheilkunde)* steht dazu „Die fünf inneren Organe und sechs Därme sind zwar vorhanden, aber noch nicht vollständig ausgebildet ... sind vollständig ausgebildet, aber noch nicht kräftig." Ferner sei noch aus dem *Xiao Er Bing Yuan Fang Lun („Abhandlung über den Ursprung von Kinderkrankheiten und Heilrezepte)* zitiert:

„Haut und Haar, Muskeln und Fleisch, Sehnen und Knochen, Gehirn und Mark, die fünf inneren Organe und die sechs Därme, das Konstruktive und das Verteidigende, das Chi und das Blut sind bei Kindern insgesamt noch nicht fest und stark."

Aufgrund dieser körperlichen und organischen Schwäche heißt es ferner: „Kinder sind besonders anfällig für Krankheiten, die sich leicht übertragen und schnell verändern." Speziell seien Kinder nach der Chinesischen Medizinlehre besonders anfällig für Krankheiten, die mit den drei wichtigsten inneren Organen, den Lungen, der Milz

und der Leber zu tun haben. Im *Zhong Yi Er Ke Xue (Lehre der Chinesischen Kinderheilkunde)* steht dazu:

> „Die äußeren Abwehrfunktionen sind bei Kindern noch nicht kräftig genug; äußeres Übel gelangt daher leicht in den Körper und befällt die Lungen:"

Das erklärt, warum Kinder so häufig Probleme mit den oberen Atemwegen haben, nämlich Erkältungen, Husten, Allergien und Asthma. Im gleichen Werk heißt es weiter:

> „Das Transportsystem und die Umwandlungsfunktion [d. h. die Verdauung, oder was die Chinesische Medizin als Milz bezeichnet] sind bei Kindern noch nicht vollständig ausgebildet und kräftig und nehmen daher leicht durch Nahrung Schaden."

Dies wiederum erklärt, warum Kinder so häufig an Koliken, Erbrechen, Durchfall, Verdauungsschwierigkeiten und Bauchschmerzen leiden. Wie wir im folgenden sehen werden, geht die Chinesische Medizin von einem engen Zusammenhang zwischen der Milz bzw. der Verdauung und den Lungen aus, ja zahlreiche Erkrankungen der oberen Atemwege sind auf eine schlechte Verdauung aufgrund falscher Ernährung zurückzuführen oder werden zumindest dadurch noch verstärkt. Speziell zur Leber heißt es im *Dan Xi Xin Fa* (Dan-Xis Herzmethoden), daß dieses Organ bei Kindern gewöhnlich einen Überschuß habe. In der Chinesischen Medizin wird die Leber mit Krämpfen und emotionalen Aufruhr, insbesondere Wut in Verbindung gebracht. Daraus geht auch hervor, warum sich Kinder leicht aufregen und sie manchmal bei hohem Fieber Krämpfe entwickeln.

Positiv ist dabei, daß die chinesische Medizinliteratur ebenfalls schreibt: „Das Chi der inneren Organe ist rein und wirkungsvoll; sie genesen daher sehr schnell." Da sich in den Gedärmen von Kindern noch nicht die Stoffwechselabfällen von Jahrzehnten angesammelt haben und ihre Eingeweide auch noch nicht jahrelang Ärger und Verletzungen „schlucken" mußten, erholen sich Kinder gewöhnlich sehr rasch von Krankheiten. Das ist ein wichtiger Schlüsselpunkt, den man sich merken sollte, denn die kleinen Patienten genesen noch rascher, wenn man die wichtige Rolle begriffen hat, die die Milz und die richtige Ernährung bei Krankheit und Genesung spielen.

Falsche Ernährung: die Hauptursache der meisten Kinderkrankheiten

Kinder unter fünf, sechs Jahren besitzen noch ein unreifes, schwaches Verdauungssystem und das ist auch die Ursache der häufigsten Kinderkrankheiten wie Darmkoliken, Ohrenschmerzen, Husten, Drüsenschwellungen, Asthma, Allergien und Ekzeme. In der Chinesischen Medizin spricht man anstatt von Verdauung von „Milz" und „Magen", und es gilt der Grundsatz „Bei Kindern ist die Milzfunktion noch unzureichend." Der Bedeutungsinhalt der Begriffe „Milz" und „Magen" ist in diesem Fall ein völlig anderer als wir aus unserem westlichen Sprachschatz gewohnt sind. Leider sind diese beiden Begriffe aus dem Chinesischen nicht anders zu übersetzen, und daher bitte ich den werten Leser, sein westliches biologisches Verständnis dieser Termini einmal beiseite zu lassen.

Die chinesische Auffassung des Verdauungsvorgangs

In der Traditionellen Chinesischen Medizin vergleicht man den Verdauungsprozeß mit der Destillation von Alkohol. Der Magen steht dabei stellvertretend für den Gärungsbottich. Essen und Trinken werden im Magen zersetzt und vergärt. Dieser „Magenbottich" sitzt jedoch auf einem Herd. Der Herd ist in diesem Fall die Milz, die die notwendige Wärme liefert, um die Essenz der Nahrung herauszudestillieren, ebenso wie eine Flamme unter einem Destillierapparat den Alkohol aus der Maische herausdestilliert. Es ist also die Wärme der Milz, die die Energie zur Umwandlung der festen und flüssigen Nahrung liefert. Diese Wärme der Milz wird als Milz-Yang bezeichnet, wenn es um die erwärmende Funktion geht, bzw. als Milz-Chi, wenn damit die Umwandlungs- und Transportfunktion beschrieben werden soll.

Dieses Yang-Chi der Milz destilliert sozusagen die Feinessenz von fester und flüssiger Nahrung heraus und schickt sie als Dampf nach oben in Herz und Lunge. Diese Feinessenz wird in den Lungen zu Chi, im Herz hingegen zu Blut. Die Lungen senden dieses Chi dann in die restlichen Körperbereiche, ähnlich wie das Herz den gesamten Körper mit Blut versorgt. Das Chi liefert die notwendige Energie für alle weiteren Umwandlungs- und Transportprozesse im Körper; während das Blut hingegen alle Gewebe befeuchtet und ernährt. Wenn Chi und Blut in ausreichender Menge vorhanden sind und frei im ganzen Körper zirkulieren können, hat der Körper volle Funktionskraft und ist so weit versorgt, daß er Körperbestandteile aufbauen und heilen kann. Liegt jedoch ein Mangel an Chi und Blut vor, sind Funktionskraft und Versorgung schwach, und es besteht die Gefahr von Krankheit.

Diese Feinessenz, die zu Chi und Blut wird, ist wie das Destillat, das sich nach dem Destillierungsvorgang im Kondensator sammelt. In der Chinesischen Medizin wird diese Feinessenz häufig schlicht als das „Reine, Klare" bezeichnet, die Rückstände hingegen als das „Trübe". Die Bildung von Chi und Blut aus der Feinessenz flüssiger und fester Nahrung wird daher auch als Trennung von Reinem und Trüben beschrieben. Das Klare wird nach oben geleitet und wird dort zu Chi und Blut, während das Trübe als Abfallprodukt nach unten abtransportiert und als Urin bzw. Kot ausgeschieden wird.

Wie eingangs bereits gesagt, gehen chinesische Ärzte davon aus, daß Milz und Magen, sprich das Verdauungssystem bei Säuglingen und Kleinkindern noch schwach und unreif ist. Das bedeutet, daß der Verdauungstrakt eines Säuglings noch Schwierigkeiten hat, klar und trüb vollständig zu trennen. Dies wiederum heißt, daß ein Baby oder Kleinkind bei Nahrungsaufnahme nicht die gleiche Menge Chi und Blut produziert wie ein Erwachsener. Daher schläft ein Baby auch wesentlich länger als ein Erwachsener. Andererseits bedeutet dies auch, daß das trübe Chi nicht immer gänzlich ausgeschieden wird, sondern sich vielmehr innerlich sammelt und den Darm verstopft.

Schleim, Nahrung und Feuchtigkeit

Nach der Chinesischen Medizin kann sich dieses trübe Material im Magen und Darmtrakt sammeln, wo es den freien Chi-Fluß behindert und die Magen-Darm-Funktion beeinträchtigt. Das verursacht dann Spannungsgefühl, Blähungen, Bauchschmerzen, Verstopfung, Durchfall und/oder Erbrechen. Dieses trübe Material kann aber auch aus dem „mittleren Erwärmer", dem mittleren Teil des Körpers, also der Milz- und Magenregion, herausfließen. Diesen trüben Abfallprodukten schreibt man eine feuchte Eigenschaft zu. Diese trübe Feuchte kann eine Reihe von Symptomen verursachen, die mit einem Feuchteüberschuß in Verbindung stehen, nämlich Durchfall und Erbrechen ebenso wie nässende Hautverletzungen. Wenn diese Feuchte gerinnt, kann es zu Schleimbildung kommen.

Die Chinesische Medizin geht davon aus, daß Schleim nichts anderes ist als geronnen Feuchtigkeit, die sich aufgrund unvollständig verdauter Nahrung gebildet hat. Da die Milz der Motor für die Trennung von Reinem und Trüben, sprich der Verdauung ist, heißt es: „Die Milz ist die Quelle der Schleimproduktion". Wenn sich einmal Schleim gebildet hat, sammelt er sich gerne in den Lungen an. „Die Lungen sind der Ort, wo der Schleim abgelagert wird", schreibt dazu auch die Fachliteratur. Sammelt sich Schleim in den Lungen an, behindert und hemmt er den Fluß des Lungen-Chi, was sich dann in verstopfter Nase, Schnupfen, Husten und dem für Asthma typischen Pfeifen äußert.

Die am häufigsten anzutreffenden Kinderkrankheiten sind entweder Beschwerden der oberen Atemwege wie Husten, Erkältungen, Asthma und Allergien oder Verdauungsprobleme wie Kolik, Durchfall, Magenschmerzen und Erbrechen. Erstere Krankheiten haben alle mit Schleimansammlung in den Lungen zu tun, letztere mit schlechter Verdauung. Da nach der Chinesischen Medizinlehre Schleimbildung jedoch ein Nebenprodukt von schlechter, mangelhafter Verdauung ist, läßt sich sagen, daß die Wurzel all dieser Beschwerden bei Kindern in ihrer unreifen und daher mangelhaften Verdauung liegt. Mein erster TCM-Lehrer, Dr. Eric Tao Xi-fu aus

Denver, pflegte aus diesem Grund zu sagen, daß sich alle Kinder-krankheiten auf Verdauungsstörungen zurückführen lassen.

Entzündungen und übermäßiger Chi-Aufstieg

Obwohl diese Theorie für den westlichen Leser sehr vereinfachend klingen mag, wird sie von umfangreicher und durchaus komplexer Fachliteratur gestützt. So gilt in der Chinesischen Medizin das Chi als von Natur aus warm. Es ist darüber hinaus für den Transport und die Umwandlung der Nahrung zuständig. Wenn das Chi die Nahrung nicht ausreichend weiterleiten und umwandeln kann und sich trübe Ablagerungen bilden, wird dadurch der normale, freie Chi-Fluß behindert. Das Chi staut sich dann auf. Da Chi als von Natur aus warm gilt, bildet sich an der betreffenden Körperstelle ein Hitzestau, der sich als Entzündung manifestiert. Feuchtigkeit kann somit zu feuchter Hitze, unverdauter Nahrung, die im Magen liegen bleibt und gärt, zu Magen-hitze, und Schleim zu Schleimhitze werden.

Baut oder staut sich das Chi über einen bestimmten Punkt auf, muß es irgendwohin abfließen. Wenn trübe Feuchte, Nahrung und Schleim den Chi-Fluß blockieren und sich das Chi aufbläht wie Gas einen Ballon, muß es irgendwann einen Ausgang finden. Da Chi von seiner Qualität her Yang ist, besitzt es einen natürlichen Aufwärts-drang. Staut sich das Chi also über ein bestimmtes Maß hinaus auf, tendiert es zu einem anormalen Aufwärtsströmen. Dieses kann sich dann in Schluckauf, Rülpsen, Erbrechen oder auch Husten äußern.

Daran läßt sich erkennen, daß Verdauungsstörungen bei Kindern unter fünf, sechs Jahren nicht nur übermäßige Feuchtigkeit und Schleimbildung im Körper hervorrufen, sondern indirekt auch mit gegenströmenden Chi und Entzündungshitze in Verbindung steht. Addiert man diese beiden Faktoren noch zusätzlich zur Liste der Verursacher, wird ersichtlich, daß Verdauungsschwäche noch bei ei-ner ganzen weiteren Reihe von Kinderkrankheiten eine Rolle spie-len kann.

Außerdem ist das Chi auch für den Schutz des Körpers gegen von außen eindringende Krankheitskeime zuständig. Die Chinesische Medizin bezeichnet pathogene, also krankheitserregende Bakterien, Viren und Pilze, die außerhalb des Körpers leben, als „äußere Übel". Wenn Milz und Magen tüchtig arbeiten und gut verdauen, wird genügend Chi und Blut gebildet und dieses ausreichende Chi schützt das Körperäußere vor den „äußeren Übeln", den Krankheitserregern. Wird hingegen nicht genügend Chi gebildet, wird der Körper äußerlich leicht anfällig für das Eindringen von Krankheitserregern. Da bei Säuglingen und Kleinkindern Magen und Milz noch schwach sind, werden sie auch leichter von Krankheitserregern befallen als Erwachsene und stecken sich damit auch leichter an.

Die Auswirkungen

Die Tatsache, daß die Wurzel der häufigsten Kinderkrankheiten in der schwachen oder unreifen Verdauung zu suchen ist, hat drei Hauptauswirkungen: Erstens: wenn die Verdauung eine derartige Schlüsselrolle für die Gesundheit und das Wohlbefinden der Kinder spielt, ist eine richtige Ernährung sowohl zur Vorbeugung als auch zur Behandlung von Krankheiten von größter Bedeutung. Das nächste Kapitel ist deshalb auch dem Thema „Ernährung und Gesundheit" gewidmet. Zweitens: Die Behandlung der meisten Kinderkrankheiten sollte sich auch auf die Regulierung und Stärkung der Verdauungsfunktion konzentrieren. Wir werden im weiteren Verlauf sehen, wie wichtig es ist, bei der TCM-Behandlung von häufig auftretenden Kinderkrankheiten sein Augenmerk vor allem auf die Regulierung und Verbesserung der Verdauung zu richten. Drittens: Da sich Milz und Magen im Alter von etwa sechs Jahren automatisch voll entwickeln, haben damit auch die meisten häufigen Kinderkrankheiten ein Ende. Die Kinder wachsen sozusagen aus ihnen heraus. Das ist übrigens ein wichtiger Punkt, der so manchen Eltern ein Trost sein mag, wenn sie bereits die dritte Nacht in Folge kein Auge zugetan haben, weil der Sohn wieder Husten und Fieber hatte oder die Tochter vor Ohrenschmerzen durchbrüllt.

Kapitel 3

Die Chinesische Ernährungslehre in der Kinderheilkunde

Ich bin derart von der Richtigkeit der oben beschriebenen Krankheitsmechanismen in bezug auf Milz- und Magenfunktion und wie sie sich auf die Gesundheit auswirken überzeugt, daß ich kostenlose Vorträge in Kindertagesheimen zum Thema „Richtige Ernährung bei Kindern gehalten habe. Wenn unsere Kinder im Übermaß an Schnupfen, Husten, Allergien und Ohrenschmerzen leiden, was ja durchaus der Fall ist, so liegt das vorwiegend daran, daß wir in unserer westlichen Gesellschaft vergessen haben, wie man Säuglinge und Kleinkinder richtig ernährt. Was die durchschnittlichen westlichen Eltern für sinnvolle Kinderernährung halten, ist nach TCM-Maßstäben eine reine Katastrophe. Die meisten Kinderkrankheiten lassen sich nämlich radikal ausmerzen oder zumindest deutlich lindern, wenn man nur die Ernährung des betreffenden Kindes entsprechend umstellt.

Stillen

Muttermilch ist die allerbeste Nahrung für Säuglinge. Sie hat die richtige Temperatur und die richtige Konsistenz. Jeder Ersatz für Muttermilch kann nur eine Notlösung sein. Warum aber entwickeln dann selbst mutterbrustgestillte Säuglinge Koliken, Ohrenschmerzen, Husten usw.? Die häufigsten Beschwerden bei Säuglingen, die zu mir in die Praxis gebracht werden, sind Koliken. Bei diesen Magenkrämpfen bilden sich Ansammlungen von Gasen, die sich zum Nachmittag hin aufbauen und sich oftmals bis in die Nacht hinein fortsetzen. Die Säuglinge schreien oder weinen, bis die Blähungen schließlich als Winde abgehen und wollen in dieser Zeit gewöhnlich herumgetragen und geschaukelt werden. Koliken gelten in der TCM als Verdauungsproblem. Die Nahrung wird im Magen nicht verdaut, sondern bleibt liegen und gärt. Das Milz-Chi reicht nicht aus, um die Nahrung umzuwandeln und weiterzutransportieren mit der Folge, daß sie im Magen-Darmtrakt liegen bleibt und ihn verstopft.

Auch wenn Muttermilch die beste Babynahrung ist, können selbst Säuglinge, die gestillt werden, Koliken entwickeln. Warum das nun?

Der Grund ist, daß auch zuviel des Guten immer noch ein Zuviel ist. In den letzten Jahrzehnten hat sich der Trend durchgesetzt, Säuglinge auf Verlangen die Brust zu geben. Wir haben das Gefühl, daß es einfach „richtig" ist, das Kind jedesmal zu stillen, wenn es danach verlangt und vergessen, daß wir das Kleine dabei in der Regel überfüttern. Wenn nämlich Magen und Milz mit mehr Nahrung überschwemmt werden als sie verarbeiten können, kann selbst Muttermilch im Magen liegen bleiben und damit zu Verdauungsproblemen führen.

Die Chinesen bezeichnen dieses Stillen auf Verlangen als „unregelmäßige Ernährung" und unregelmäßige Ernährung gilt in der chinesischen Medizinliteratur als Hauptursache für Koliken. Ein erfahrener TCM-Kinderarzt kann allein am Geruch von Stuhl, Atem und Erbrochenem, ferner am Hervortreten der Vene am Zeigefinger des Säuglinge erkennen, ob die Kolik auf Überfütterung zurückzuführen ist. Wenn einer Kolik oder einer anderen Kinderkrankheit als Ursache mangelnde Verdauung zugrunde liegt, ist es daher wichtig, das Stillen auf Verlangen einzustellen und vielmehr einen regelmäßigen Fütterungsplan aufzustellen. Bei Neugeborenen ist es nun daher empfehlenswert, sie von Anfang an an regelmäßige „Essenszeiten" zu gewöhnen.

Feste Essenszeiten

Auch im Westen hatten Mütter bis vor etwa zwanzig Jahren noch nach festen Zeitplänen gestillt. Das bedeutet keineswegs, daß man die „armen Kleinen" lieblos behandelt oder gar aushungert, ganz im Gegenteil. Säuglinge sind ja auch nicht schlauer als wir Erwachsenen. Obwohl sie ihren instinktiven Bedürfnissen noch näher stehen als wir, verfügen sie nicht über die Disziplin und Urteilsfähigkeit, die wir Erwachsene uns über Erfahrung angeeignet haben. Eltern sind ja für ihre Kinder verantwortlich und sollten daher besser wissen, was für ihre Säuglinge richtig ist als die Säuglinge selbst. Kinder essen nämlich genauso aus Langeweile oder Gier wie wir Erwachsene. Ich kann also allen Eltern nur empfehlen, ihre Neugeborenen nach Möglichkeit zu stillen, aber nicht immer, wenn das Kleine schreit, sondern nach festen Fütterungszeiten.

Wenn man einmal die Stadtbücherei aufsucht, findet man reihenweise Bücher zum Thema Stillen. In einigen dieser Ratgebern steht auch, daß man Säuglingen jedesmal, wenn sie schreien, die Brust geben soll. Das hat zwar zum einen den Vorteil, daß die Neugeborenen auf diese Weise schneller an Gewicht zulegen, aber ist diese schnellere Gewichtszunahme für ein Kind auch langfristig von Vorteil? Ist es möglich, daß die zunehmende Überfettung gerade bei amerikanischen Jugendlichen zumindest teilweise darauf·zurückzuführen ist, daß sie jedesmal auf Wunsch gestillt wurden und sich auf diese Weise daran gewöhnt haben, etwaige Unannehmlichkeiten und Probleme mit Essen zu lösen? In der makrobiotischen Ernährungslehre weiß man schon lange, daß das Größenwachstum und die übermäßige Gewichtszunahme aufgrund der nach dem Zweiten Weltkrieg ausgebrochenen regelrechten Freßsucht gesundheitsschädlich ist. Als Daumenregel gilt für Neugeborene ca. 60–80 gr Muttermilch alle vier Stunden, wobei zu berücksichtigen ist, daß jedes Baby natürlich abhängig von seinem individuellen Stoffwechsel seine eigenen Bedürfnisse hat. Aber diese Menge wurde früher gewöhnlich empfohlen, als das Stillen auf Verlangen des Säuglings noch nicht Mode war.

Viele Anhänger des „natürlichen" Stillens gehen sicher auf die Barrikaden, wenn ich hier von festen Stillzeiten spreche. Aber ich behandle jetzt mittlerweile seit fast zwanzig Jahren Säuglinge in den USA und in China und bin fest davon überzeugt, daß dieses unregelmäßige Stillen („immer wenn das Baby schreit") eine der Hauptursachen für unsere ganzen Kinderkrankheiten hier im Westen ist. Ich glaube, daß man mit einer Rückkehr zu kontrolliertem Stillen die typischen Beschwerden wie Koliken, Ohrenschmerzen, Husten und Erkältungen deutlich reduzieren kann. Diese Krankheiten stehen ja, zumindest zum Teil, in kausalem Zusammenhang und man kann daher, wenn man eine Stauung der Nahrung im Magen und die daraus resultierenden Blähungen und Koliken vermeidet, die gesamte Krankheitsgeschichte eines Kindes verändern.

Was tun, wenn Stillen nicht möglich ist?

Mangelnde Milchproduktion

Wenn eine Mutter nach der Entbindung feststellt, daß ihre Milchproduktion nicht richtig in Schwung kommt, sollte sie etwas dunkles Bier trinken und regelmäßig Papaya, Schinken, Erdnüsse und schwarzen Sesam in ihren Speiseplan aufnehmen; alles Nahrungsmittel, die laut TCM die Milchproduktion erhöhen. Malzgerste stoppt zwar als Tee die Milchproduktion, scheint aber als süffiger Gerstensaft die gegenteilige Wirkung zu haben. Papaya hingegen fördert die Verdauung, und wir haben ja gesehen, daß Blut und Chi über die Milz bzw. über die Verdauung entstehen. Schinken, Erdnüssen und schwarzer Sesam werden starke Yin-Eigenschaften zugeschrieben, und Blut gilt ja in der Chinesischen Medizin als Yin. Mit der Aufnahme von Schinken, Erdnüssen und schwarzen Sesam stärkt man daher das Blut und andere Yin-Flüssigkeiten. In der Chinesischen Medizin heißt es ferner, daß auch Schweinefüße ein gutes Heilmittel bei mangelhafter Laktation (Milchbildung) sind.

Rezepte zur Steigerung der Milchbildung

1. Nehmen Sie 250 gr tagesfrische Lilienblüten (erhältlich in China- oder Orientläden) und 500 gr Schweinefleisch. Weichen Sie die Lilienblüten zuerst in Wasser ein und braten Sie sie dann kurz mit dem Schweinefleisch und etwas Lauch und Salz zur geschmacklichen Abrundung in der Pfanne. Dieses Gericht nährt das Blut und befreit den Muttermilchfluß.

2. Nehmen Sie 2 Stücke Tofu, 150 gr Kürbis, 20 gr Pilze und dann 1 Schweinefuß. Schneiden Sie den Tofu, die Pilze und den Kürbis in kleine Stücke. Den Schweinefuß kochen Sie zunächst in Wasser vor und geben dann den Tofu, die Pilze und den Kürbis dazu. Weitere 20 Minuten köcheln lassen, dann mit Salz und frischem Ingwer abschmecken. Das stärkt das Chi und das Blut und erhöht die Milchsekretion.

3. Nehmen Sie 60 gr Erdnüsse, 60 gr gelbe Soyabohnen sowie 2 Schweinefüße. Kochen Sie zuerst die Sojabohnen und die

Erdnüsse weich. Dann geben Sie die Schweinefüße dazu und kochen alles zu einer Suppe. Diese Mahlzeit stärkt die Milz, nährt das Blut, öffnet die Gefäße und erhöht die Milchbildung.

4. Kochen Sie eine entsprechende Menge Aduki-Bohnen zu einem Brei. Das läßt das Chi wieder herabsteigen und befreit den Milchfluß.

5. Nehmen Sie 120 gr braunen Zucker und 120 gr frischen Tofu und kochen Sie beides zusammen in Wasser. Essen Sie den Tofu und trinken Sie die Brühe. Das stärkt das Blut und befreit den Milchfluß. Man kann auch zum Schluß einen Schuß Reiswein (Mirin oder Sake) dazugeben, das verstärkt die Wirkung.

6. Kochen Sie 500 gr Papaya mit 250 gr Fisch zu einer Suppe. Mit Salz und frischem Ingwer abschmecken. Sie können auch Papaya mit Schinken und Erdnüssen kochen.

7. Lassen Sie 10 gr Anis in Wasser zu einem Tee aufkochen. Mit einem Schuß Reiswein verfeinern und trinken.

Wenn diese einfachen Hausrezepte nicht ausreichen, um den Milchfluß anzuregen, sollte die betreffende Mutter einen Arzt aufsuchen, der sich mit Chinesischer Kräuterheilkunde auskennt. Es gibt eine ganze Reihe von Kräuterrezepten, die die Milchproduktion anregen. Da die Chinesische Medizin auf der Wiederherstellung des körperlichen Gleichgewichts beruht, ist es wichtig, daß genau das richtige Rezept für das entsprechende Krankheitsmuster gefunden wird. Wenn also eine Mutter das Problem mangelnder Milchproduktion mittels Chinesischer Kräuterheilkunde lösen möchte, sollte sie auf alle Fälle einen Fachmann aufsuchen, der ihr entsprechendes Muster gründlich und klar diagnostizieren kann. Im Laufe der Jahre ist es mir gelungen, bei einer Reihe von Frauen die Milchbildung mit Hilfe von chinesischen Kräuterrezepten zu steigern.

Muttermilchersatz

Wer aus dem einen oder anderen Grund sein Kind nicht stillen kann, muß sich nach einem Muttermilchersatz umsehen. In Asien verwendet man seit alters her verdünnte Reissuppe. Das ist auch die erste feste Nahrung, die einem Kind nach der Muttermilch gegeben wird. Reissuppe ist nahrhaft und leicht zu verdauen. Sie ist nicht so süß, daß Säuglinge süchtig nach dem süßen Geschmack werden und auch nicht so nahrhaft, daß sie im Magen liegen bleibt und gärt, was wiederum Feuchtigkeit und Schleim bilden würde. Darüber hinaus gilt Reis als warmes Lebensmittel, was wiederum der Verdauung des Säuglings förderlich ist, oder, „chinesisch" ausgedrückt, ihr Magen- und Milz-Yang stärkt.

Reissuppe macht man, indem man 1 Teil Reis auf 6 Teile Wasser in einen Topf gibt und mehrere Stunden, am besten über Nacht, köcheln läßt. Am Ende bleibt dann eine stark verdünnte Reissuppe übrig, da sich der Großteil der Reisstärke während des Kochvorgangs aufgelöst hat. Bevor Sie die Suppe jedoch in die Flasche füllen, sollten Sie sie noch einmal durchseihen, um übriggebliebene Reiskörner zu entfernen. Verwenden Sie für diese Reissuppe am besten weißen Reis, da er leichter verdaulich ist als brauner Vollkornreis.

Auch Kuh- oder Ziegenmilch ist ein Ersatz für Muttermilch. Da Kuh- oder Ziegenmilch jedoch nicht auf die Ernährungsbedürfnisse von kleinen Kindern zugeschnitten sind, können sie Probleme verursachen. Besonders Kuhmilch sollte man nicht pur verabreichen, sondern nur mit Wasser verdünnt. Wenn Sie also auf handelsübliche Ersatzprodukte, Kuh-, Ziegenmilch oder Reissuppe zurückgreifen müssen, sollten Sie ebenfalls darauf achten, daß Sie dem Baby nicht jedes Mal die Flasche geben, wenn es schreit. Gerade bei der Flaschenernährung muß man noch vorsichtiger sein, das Kind nicht zu überfüttern, was dann zu einem Nahrungsstau im Magen mit den entsprechenden Konsequenzen führt.

Ich persönlich habe die Erfahrung gemacht, daß Sojamilch oder andere Ersatzprodukte auf Sojabasis zu vermeiden sind. Nach der

Chinesischen Ernährungslehre gelten Sojabohnen als kaltes Nahrungsmittel. Da nun das Yang-Chi der Milz eines Säuglings noch schwach ist, schadet die kalt wirkende Sojamilch dem Milz-Yang und führt schneller als andere Milchersatzprodukte zu Nahrungsstau.

Auch Fruchtsäfte wie Apfelsaft oder Orangensaft sind nicht empfehlenswert, weil sie zu süß sind und damit zu Zuckersucht führen. Alle süßen Nahrungsmittel fördern die Bildung von Feuchtigkeit im Körper und extrem süße Produkte schwächen nach chinesischen Begriffen die Milzfunktion. Außerdem sind diese Säfte extrem nahrhaft – zu nahrhaft sogar für die Bedürfnisse eines Säuglings. Der zuckersüße Geschmack führt zum einem zu Suchtverhalten und schwächt zum anderen die Milz und fördert die Bildung von Feuchtigkeit. Neben Reissuppe oder verdünnter Kuhmilch empfehle ich Eltern daher lediglich etwas lauwarmes Wasser, wenn Ihr Baby starken Durst hat.

Die erste feste Nahrung

Säuglinge brauchen gewöhnlich nichts anderes als Muttermilch und vielleicht noch zusätzlich etwas lauwarmes Wasser. Mit etwa fünf, sechs Monaten greifen sie jedoch allmählich nach dem Essen, das sie auf dem Teller der Eltern sehen. Erst wenn Säuglinge selbständig nach Essen greifen und es in den Mund stecken, ist der Zeitpunkt gekommen, sie langsam auf feste Nahrung umzustellen. Das ist ein tiefgreifender Einschnitt in der Entwicklung eines Säuglings und kann gravierende Auswirkungen auf die Gesundheit des Kindes in den nächsten Jahren haben. Die meisten Eltern im Westen machen den Fehler, daß sie ihren Säuglinge zu früh feste Nahrung verabreichen, zu viel verschiedene Nahrungsmittel auf einmal einführen und die falschen Nahrungsmittel zum falschen Zeitpunkt füttern. Gibt man einem Baby zu früh feste Nahrung, kann es sie noch nicht verdauen. Die Nahrung bleibt im Magen liegen, gärt und führt zu Feuchte- und Schleimbildung. Daher ist es wichtig, auf den Zeitpunkt zu achten, den einem das Baby selbst signalisiert.

Brei auf Körpertemperatur

Zum besseren Verständnis der Chinesischen Ernährungslehre muß man wissen, daß alles, was ein Baby ißt, zu einem dünnflüssigen Brei, der etwa Körpertemperatur hat, verarbeitet sein muß, bevor die Verdauung im Magen einsetzen kann. Das bedeutet, daß die Nahrung, die ein Baby zu sich nimmt, etwa Körpertemperatur haben sollte. Auf alle Fälle darf man Säuglinge keine kalte, gefrorene oder eisgekühlte Nahrung füttern. Der Verdauungsprozeß ist ein warmer Umwandlungsprozeß auf der Grundlage des Yang-Chi der Milz. Kalte oder eisgekühlte Nahrung schwächen oder verletzen sogar die Verdauung bzw. die Milz, da sie zum Erwärmen so viel Yang-Chi benötigen.

Zweitens muß Babynahrung immer püriert werden, da Säuglinge noch keine Backenzähne besitzen, die die Nahrung im Mund zermahlen können. Und nur zu einem Brei zerkaute Nahrung kann bekanntlich im Magen verdaut werden. Daher ist es wichtig, daß alle Nahrung, die man dem Baby verabreicht, zuvor zu einer Suppe gekocht oder im Mixer püriert wird.

Drittens sollten alle Nahrungsmittel für Säuglinge immer gekocht werden. Für die Chinesische Medizin ist der Verdauungsprozeß wie das Zerkochen von festen Nahrungsmittel zu einer Suppe. Je mehr Nahrung in Suppen- oder Breiform bei Körpertemperatur aufgenommen wird, desto leichter fällt die Verdauung. Viele glauben, daß Rohkost wertvoller sei als gekochte Nahrung. Das ist nur zum Teil richtig. Rohkost hat zwar mehr Vitamine und Enzyme als gekochte Nahrung. Die Nährstoffe sitzen jedoch innerhalb der Zellwände. Ohne diese Zellwände wäre jede Nahrung eine formlose Glibbermasse. Zellwände sind wie Taschen oder Schachteln. Um an die Nährstoffe heranzukommen, müssen die Zellwände aufgebrochen werden. Das geschieht gewöhnlich durch das Kauen und während des Verdauungsprozesses. Da Säuglinge und Kleinkinder noch zu wenig Zähne haben, um ordentlich zu kauen und ihre Verdauung noch recht schwach ist, können sie diese Zellwände noch nicht wie Erwachsene aufbrechen.

Das Kochen ist ein weiterer Weg, wie man diese Zelltaschen, die die lebenswichtigen Nährstoffe halten, aufbricht. Auch wenn beim Kochvorgang einige dieser Nährstoffe zerstört werden, sind die verbliebenen Nährstoffe durch das Kochen leichter aufzunehmen. Ein einfaches Beispiel dazu: Angenommen, eine rohe Karotte besitzt 100 Einheiten eines bestimmten Nährstoffs, eine gekochte Karotte hingegen nur etwa 80 %. Wenn der Körper jedoch von der rohen Karotte nur 60 % der Nährstoffe, von der gekochten nun aber 70 % verwerten kann, ist die gekochte Karotte immer noch nahrhafter als die rohe Karotte. Das ist der Unterschied zwischen „Brutto-Nährstoffgehalt" und „Netto-Verwertung".

Kochen ist im Grunde nur ein Art Vorverdauung außerhalb des Körpers. Kochen leistet einen Teil der Verdauungsarbeit, bevor die Nahrung im Magen landet. Da Magen und Milz bei Säuglingen noch schwach und unreif sind, profitieren Babys noch mehr als Erwachsene von diesem Vorkochen.

Zusammengefaßt bedeutet das, daß jede erste feste Nahrung, die ein Baby erhält, warm, püriert und gekocht, keinesfalls roh, gefüttert werden sollte.

Mit welchen Nahrungsmitteln beginnt man am besten?

Die erste feste Nahrung nach Muttermilch sollte die oben beschriebene Reissuppe sein. Sie fördert die Bildung von Chi, Blut und anderen Körperflüssigkeiten, stärkt gleichzeitig die Milz, harmonisiert den Magen und trocknet überschüssige Feuchte.

Bei Neugeborenen sind die Geschmacksnerven noch nicht so abgestumpft wie bei uns Erwachsenen. Aus diesem Grund muß ihre Nahrung auch nicht so abwechslungsreich sein. Das ist von Vorteil, da man nur immer ein bestimmtes Nahrungsmittel auf einmal einführen darf und auch eine Weile warten muß, bis man auf das nächste Produkt übergeht. Wenn Sie immer jeweils nur *ein* neues Nahrungsmittel dazunehmen, können Sie genau erkennen, ob ihr Kind es verträgt und gut verdaut oder nicht. Ist die Verdauung Ihres Kindes noch nicht reif und kräftig genug, um dieses bestimmte Produkt ohne Nebenwirkungen zu verdauen, merken Sie es an Beschwerden wie Erbrechen, Kolik, Blähungen, Verstopfung oder Durchfall.

Füttern Sie Ihrem Kind ein neues Nahrungsmittel, und zeigt es Zeichen von Verdauungsschwierigkeiten, sollten Sie dieses Produkt eine Weile lang weglassen. Nach ein paar Wochen oder Monaten können Sie es dann erneut versuchen. Zeigen sich nach einer Woche keine Verdauungsprobleme, kann man davon ausgehen, daß das Kind dieses spezielle Nahrungsmittel verträgt und man kann ein weiteres ausprobieren. Läßt man solche Anzeichen wie zu weicher Stuhl, Verstopfung und vermehrte Blähungen außer acht, sammelt sich die unverdaute Nahrung im Magen-Darmtrakt und führt zu Feuchte und Schleimbildung. Der Schleim manifestiert sich dann entweder im Stuhl oder in der Nase und in den Lungen. Entdeckt man vermehrt Schleim nach Einführung eines neuen Lebensmittels, sollte man es daher ebenfalls mindestens ein paar Wochen lang weglassen, bevor man es erneut testet.

Probiert man gleich mehrere neue Nahrungsmittel auf einmal aus und läßt keine Woche zwischen den einzelnen „Testläufen" vergehen, weiß man nicht, welches Produkt welche Reaktionen hervorruft. Aus diesem Grund sollte man langsam vorgehen und nichts überstürzen. Das Prinzip ist ähnlich wie ein Ausschlußtest bei Allergien. Wenn Sie Ihrem Kind neue Nahrungsmittel auf diese Weise schmackhaft machen, vermeiden Sie spätere Lebensmittelallergien. In der Chinesischen Medizin heißt es nämlich, daß sich Lebensmittelallergien bei Kindern in der Regel auf zuviel Essen oder zu schwer verdauliches Essen zurückführen lassen. Das sorgt dann für Verdauungsprobleme und kann eine Reihe von Krankheiten hervorrufen, die aus Nahrungsstau im Magen-Darmtrakt, Feuchte und Schleim entstehen.

Zuerst beginnt man mit weißem Reis. Später versucht man es mit verschiedenen gekochten Gemüsesorten, zum Beispiel mit weichgekochten, pürierten Karotten. Nach einer Weile kann man zerdrückte

Kartoffeln hinzufügen. Nach einem weiteren zeitlichen Abstand können pürierte grüne Bohnen oder Erbsen hinzukommen. Wichtig ist dabei, daß man mit nahrhaften, aber leicht verdaulichen Lebensmitteln beginnt. Sie dürfen allerdings auch nicht zu nahrhaft sein. Gekochte Gemüsesorten erfüllen diese Voraussetzungen gewöhnlich. Die meisten gekochten Gemüsesorten sind leicht süßlich. Sie sind weder fett noch enthalten sie zu viele schwer verdauliche Eiweiße. Tierisches Eiweiß, so zum Beispiel auch Käse, aber auch Getreidesorten sollte man sich für später aufheben, wenn der Verdauungstrakt des Kindes schon reifer und kräftiger geworden ist.

Insbesondere Weizen gilt in der Chinesischen Medizin als kühlendes und feuchtes Nahrungsmittel. Damit ist er schwieriger zu verdauen als Reis und verursacht auch schneller einen Nahrungsstau im Magen-Darmtrakt. Die chinesischen Medizinlehrbücher sind voll mit Mahnungen, ja nicht zu viel eingeweichte Weizenprodukte zu essen, da sie für Nahrungsstau sorgen sowie die Milz und den gesamten Verdauungsprozeß beeinträchtigen.

Was Kinder nicht essen sollen

Säuglingen und Kleinkindern sollte man auf keinen Fall Fruchtsäfte geben, vor allem nicht, wenn sie eisgekühlt aus dem Kühlschrank kommen. Sie sind zu süß und zu kalt. Die gesamte Verdauung kommt zu Schaden; es bilden sich Feuchtigkeit und Schleim. Säuglinge und Kleinkindern sollen auch nicht zu viel Brot essen. Auch Brot schadet der Milz und läßt Feuchte und Schleim entstehen. Ebensowenig sollten sie rohes Gemüse oder viel Käse essen. Süßes und Eis sind natürlich ebenfalls schädlich. Süßigkeiten schaden der Milz und führen zu Feuchtebildung; Eis hingegen ist nicht nur zu süß (Zucker), sondern wirkt auch feuchtebildend (Eier und Sahne) und verletzt das Yang-Chi (die Kälte).

Bei dieser Auflistung der negativen Nahrungsmittel sieht man deutlich, daß es sich um den gewöhnlichen Speiseplan eines westlichen Kindes handelt. Rohe Karotten und Sellerie, Käse, Cracker,

Brot, Marmelade, Nutella, kalte Milch und Obstsäfte – genau die Nahrungsmittel, die wir modernen, gehetzten Eltern unseren Kindern so häufig zu essen geben. Oftmals stehen sie auch in Kindergärten und Tagesheimen auf dem Speiseplan, wo die Zubereitung gekochter Mahlzeiten oftmals nicht möglich ist. Und das ist auch der Grund, warum unsere Kinder hier im Westen ihre typischen Krankheiten entwickeln: Ohrenschmerzen, Allergien und chronische Bronchitis.

Wenn mir Eltern ein krankes Kleinkind in die Praxis bringen, sei es mit Erkältung, Mandelentzündung, Husten oder Ohrenschmerzen, frage ich zuallererst immer, ob es kurz bevor es krank wurde, auf einer Geburtstagsfeier war. In vier von fünf Fällen lautet die Antwort ja. Wie konnte ich das erraten? Ganz einfach: was essen Kinder denn normalerweise auf Geburtstagspartys? Süßigkeiten und Eis! Das ist auch der Grund, warum Kinderärzte gerade in der Vorweihnachtszeit und zu den Festtagen Hochkonjunktur haben.

Was kann man tun, damit das Kind gesund bleibt?

Als Vater und TCM-Kinderarzt gebe ich Ihnen den guten Rat: kontrollieren Sie, was Ihr Kind zu sich nimmt und auch, was es wieder ausscheidet. Kontrolliertes Essen bedeutet, Säuglinge nicht immer zu stillen, wenn sie etwas haben wollen, feste Nahrung nicht zu früh oder zu schnell zu verabreichen und keine rohen, kalten Nahrungsmittel zu füttern. Das bedeutet auch wenig Milchprodukte, Fleisch, Eier oder fetthaltige Nahrung und vor allen Dingen wenig Süßes. Die Ernährung sollte vielmehr viel komplexe Kohlehydrate und viel Gemüse enthalten, wenig Fleisch, Eier und Milchprodukte wie auf der Pyramide auf der nächsten Seite abgebildet.

Mit Kontrolle der Ausscheidungen meine ich, daß man am Stuhlgang erkennen kann, wie das Kind auf die Ernährung reagiert. Wird
der Stuhl zu weich oder breiig, ist dies oft ein Zeichen, daß es zuviel
Zucker und Süßigkeiten gegessen hat. Oder auch zu viel Eis, das
wohl köstlichste, aber auch gefährlichste Nahrungsmittel, das ich
kenne. Ißt nämlich ein Kind zu viel Süßes, insbesondere Eis, schadet das der Milz, die dann ihre Trennfunktion zwischen klar und trübe nicht mehr richtig ausführen kann. Werden Klares und Trübes
nicht vollständig voneinander getrennt, bildet sich Feuchtigkeit im
Körper und diese Feuchte fließt zusammen mit der unverdauten
Nahrung in Form von breiigem Stuhl oder Durchfall nach unten.
Wenn ein Kleinkind aufgrund falscher Ernährung breiigen Stuhl
oder Durchfall hat, sondert es in der Regel ein, zwei Tage später
vermehrt Schleim ab – ein typisches Anzeichen.

Manifestiert sich diese erhöhte Schleimbildung im Außen, sagen
wir dann, das Kind hat sich erkältet, hat Schnupfen oder Husten,
geschwollene Drüsen oder Ohrenschmerzen. Ich habe die Erfahrung gemacht, daß es schrittweise vor sich geht: zuerst macht man
einen Fehler bei der Ernährung, dann wird der Stuhl breiig und erst

in der dritten Phase wird das Kind endgültig krank. Greift man rechtzeitig ein, sobald man den breiigen Stuhl entdeckt und bevor sich zuviel Schleim und Feuchte gebildet haben und *stellt wieder auf vernünftige Ernährung* um, kann man diesen Prozeß noch umkehren und das Kind wird nicht krank. Wenn man also den Stuhl von Säuglinge und Kleinkindern sorgfältig überprüft, kann man ihre Ernährung korrigieren, bevor durch Verdauungsprobleme weitere Krankheitsmechanismen ausgelöst werden.

Wie soll man mit Zucker und Süßigkeiten umgehen?

Wir alle lieben Süßes und freuen uns natürlich auch über die strahlenden Gesichter unserer Kinder, wenn wir Ihnen ein paar Süßigkeiten auf den Tisch legen – es ist ja ein so einfaches, praktisches Mittel, um sie glücklich zu machen! Ich will damit aber nicht sagen, daß wir ihnen nie ein Stück Kuchen, Schokolade oder ein Eis gönnen dürfen. Wir leben nicht in einer perfekten Welt und ich will hier auch keinen Perfektionismus propagieren. Natürlich sollen wir unseren Kindern ab und an etwas Süßes gestatten. Als verantwortungsbewußte Eltern liegt es aber an uns, die Menge an Süßigkeiten entsprechend zu kontrollieren und ein Übermaß an Zucker, das die verschiedenen genannten Krankheitsmechanismen in Gang setzen kann, zu vermeiden.

Wie bereits eingangs gesagt, läßt sich anhand des Stuhlgangs gut beurteilen, ob die Ernährung für das Kind geeignet ist oder nicht. Ist der Stuhl gesund und gut geformt und zeigt das Kind keine vermehrte Schleimproduktion, dürften Sie mit der Ernährung nicht allzu falsch liegen. Wird der Stuhl jedoch breiig, nachdem das Kind Süßes oder Eis gegessen hat, sollten Sie dem Kind klar und deutlich zu verstehen geben, daß es jetzt den Schokoriegel oder das Eis, das es haben will, nicht essen darf. Mit anderen Worten, ich predige hier keine Abstinenz, sondern lediglich ein vernünftiges Maß. Wenn Sie ihrem Kind nie Süßigkeiten erlauben, hat auch das wieder negative Auswirkungen.

Was kann man tun, wenn man sein Kind falsch ernährt hat und es bereits Suchtverhalten zeigt?

Viele Eltern bringen ihr Kind erst dann zur Akupunktur oder zum TCM-Arzt, wenn es bereits krank ist. Die meisten Kinder werden aufgrund falscher Ernährung krank. Bis die Eltern den Weg in die Praxis eines TCM-erfahrenen Kinderarztes finden, sind ihre Kinder meist schon süchtig nach Zucker und süßen Säften. Und wenn ihnen der Arzt dann erklärt, wie eine gesunde Ernährung für ihr Kind auszusehen hat, meinen sie meist: „Aber mein Kind ißt das ja gar nicht!". Was kann man in so einem Fall tun?

Die Antwort lautet: einfach hart bleiben. Wenn ein Kind aufgrund falscher Ernährung erkrankt, kann es nicht gesund werden, indem es die gleichen schädlichen Sachen weiterhin ißt. Wie bei jeder Sucht muß auch das Kind in diesem Fall einmal die „Cold-Turkey-Zeit" durchmachen – es hilft nichts! Vielleicht verweigert es anfangs die gesunden Nahrungsmittel und schreit oder quengelt eine Weile nach dem geliebten Süßen. Aber wenn die Eltern hart bleiben und nicht nachgeben, wird das Kind irgendwann aufgeben. Es wird vielleicht noch eine Weile quengeln und unleidig sein, aber es wird den Hungerstreik unter Garantie nicht bis zum bitteren Ende durchsetzen.

Natürlich ist dies eine harte Zeit für die Eltern. Doch der Fehler ist passiert und muß jetzt korrigiert werden. Kinder sind von Natur aus einfach Kinder und sehen den größeren Zusammenhang und die Spätfolgen nicht. Eltern sind Erwachsene und für das Wohlergehen ihrer Sprößlinge verantwortlich. Ganz gleich, wie schmerzlich es sein mag, als Eltern hat man die Pflicht, in diesem Fall die Ernährung des Kindes umzustellen und darauf zu achten, daß sich das Kind auch in Zukunft gesund ernährt. Alles geht irgendwann

vorüber, nichts währt ewig! Auch das Gebrülle oder die Quengelei werden irgendwann aufhören. Andererseits steht es einem als Eltern natürlich frei, das Kind alles essen zu lassen, was es will, bis es entsprechend krank wird. Jede Familie muß das für sich entscheiden. Man muß sich aber darüber im klaren sein, daß eine Kombination aus beidem nicht möglich ist: nämlich ein kerngesundes Kind zu haben, das sich nach Lust und Laune mit Süßigkeiten vollstopft.

Schlußfolgerung

Im nächsten Kapitel erfahren Sie weitere Möglichkeiten aus dem reichen, über 2.000 Jahre alten Erfahrungsschatz der Chinesischen Medizin, wie sich Kinderkrankheiten vermeiden lassen und wie sie

Ihr Kind bei Gesundheit halten. Ich kann aber gar nicht oft genug betonen, wie wichtig die richtige Ernährung gerade bei Kleinkindern ist. Wie mein erster Lehrer in Chinesischer Medizin, Dr. Eric Tao Xi-fu, so schön zu sagen pflegte: „Kinder leiden nur an einer einzigen Krankheit – Verdauungsstörungen"! Wir sprechen hier natürlich nicht von angeborenen Leiden, körperlichen Verletzungen oder Epidemien. Dr. Tao bezog sich hier auf die häufigen Kinderleiden wie Magen- und Darmkrämpfe (Koliken), Husten, Drüsenschwellungen, Ohrenschmerzen, Allergien, Durchfall und Verdauungsstörungen. In neunzig Prozent der Fällen sind dies nämlich die typischen Probleme, weswegen die Eltern ihre Kinder zu mir in die Praxis bringen. Manchmal müssen diese Leiden medikamentös behandelt werden. In der überwiegenden Mehrheit der Fälle genügt jedoch eine Umstellung der Ernährung, die für einen natürlichen Heilungsprozeß sorgt und einen Rückfall verhindert.

Die wichtigsten Punkte der Chinesischen Ernährungstherapie für Kleinkinder und Säuglinge sind in den folgenden Versen enthalten. Sie sind aus dem Buch *"Pediatric Bronchitis: Its TCM Cause, Diagnosis, Treatment & Prevention"* (A. d. Ü.: *„Bronchitis bei Kindern: Ursachen, Diagnose, Behandlung und Vorbeugung nach TCM"*) von Xiao Shu-qin u. a., übersetzt von Gao Yu-li und mir (Blue Poppy Press, 1991) entnommen:

Essen und Trinken sollen klar, leicht bekömmlich und wohlschmeckend sein;
Die Nahrung soll weder roh, kalt oder fett sein.
Sie muß leicht aufzunehmen, zu verteilen und umzuwandeln sein.

Man esse nur wenig harte, feste und schwer verdauliche Nahrung und hüte sich vor sauren, adstringierenden, nach Fisch riechenden oder trockenen Sachen.
Man esse auch nie im Übermaß und stopfe sich voll.

Kapitel 4

Vorbeugende und gesundheitsfördernde Maßnahmen

Schon in einem der Hauptwerke der Chinesischen Medizin, dem ca. 2.500 Jahre alten *Nei Jing* (Lehrbuch der Inneren Medizin) steht geschrieben, wie wichtig es ist, Krankheiten rechtzeitig vorzubeugen – bevor sie auftreten. Eine Krankheit zu behandeln, wenn sie sich bereits manifestiert hat, sei in etwa so, als würde man den Brunnen erst graben, wenn man schon Durst hat oder Schwerter schmieden, nachdem der Krieg schon ausgebrochen ist. Die Chinesische Medizin kennt verschiedene vorbeugende Maßnahmen, wobei wir die wichtigste davon bereits im Kapitel über Ernährung und Verdauung besprochen haben.

Genügend Schlaf und Bewegung

Da Chi und Blut bei kleinen Kindern von Natur aus noch schwach und unzureichend entwickelt sind, ermüden sie schnell. Das ist auch der Grund, warum sie so viel Schlaf benötigen. Nach der Chinesischen Medizin wird unser bewußter Wachzustand von einer Anhäufung von Yang-Chi hervorgerufen. Ist dieses Yang-Chi verbraucht, schlafen wir ein und im Schlaf wird dieses Yang-Chi wieder aufgebaut. Deswegen ist es so wichtig, daß Kinder ausreichend schlafen. Oftmals weigern sich Kinder, am Nachmittag ein Schläfchen zu halten oder pünktlich ins Bett zu gehen. Als geplagte Eltern sind wir oft geneigt, den quengelnden, heulenden Sprößlingen lieber nachzugeben als lange, ermüdende Diskussionen zu führen. Sind Kinder jedoch einmal durch zu wenig Schlaf generell geschwächt, macht sich das nicht nur in ihrem Verhalten bemerkbar, sondern auch in einer vermehrten Anfälligkeit für Krankheiten.

Andererseits ist es wichtig, daß Kinder genügend körperliche Bewegung haben. Nach der Chinesischen Medizin wird bei körperlicher Anstrengung nicht nur Chi und Blut verbraucht, sondern auch ihre Bildung angeregt. Körperliche Bewegung regt Magen und Milz an und stärkt Herz und Lunge. Das sind die Organe, die die Bildung von Chi (Magen, Milz, Lunge) bzw. von Blut (Magen, Milz, Herz) steuern. Bewegung regt die Funktion dieser Organe an und fördert damit die Chi- und Blutbildung. Sind Chi und Blut kräftig und in ausreichender Menge vorhanden, können Krankheitserreger nur schwer in den Körper eindringen, und alle Organe werden ausreichend versorgt, um gut funktionieren zu können. Aus diesem Grund sollte man auf eine ausgewogene Yin-Yang-Mischung aus angemessenen Ruhezeiten (Yin) und Bewegung (Aktivität, Yang) achten.

Frische Luft und Sauerstoff

Frischluft heißt im Chinesischen „himmlisches Chi" oder auch „großes Chi". Das Chi in unserem Körper bildet sich aus einer Kombination von Feinessenz, die Magen und Milz aus unserer Nahrung herausdestillieren und umwandeln, und dem über die Lungen eingeatmeten „großen Chi". In geschlossenen Räumen entwickeln sich eher Krankheitserreger. Unsere Häuser und Wohnungen sind heutzutage im Rahmen der Energiesparmaßnahmen und ökologischen Einstellung dick isoliert, Türen und Fenster hermetisch abgeriegelt. Das spart zwar Heizkosten, aber dennoch ist es wichtig, daß wir genügend frische Luft bekommen. Daher sollten Kinder nach Möglichkeit – wenn die Luft nicht allzusehr belastet ist – viel im Freien spielen, wo sie ihre Lungen mit Sauerstoff füllen können.

Nicht zu dick anziehen

Dieser nächste gute Ratschlag paßt vielleicht besser auf Eltern in Asien, die ihre Kleinen gerne so dick einpacken, daß diese sich kaum noch bewegen können. Die Chinesische Medizin geht davon aus, daß Kinder von ihrer Konstitution her stark Yang sind. Das bedeutet, daß sie bei gleichen Temperaturen in der Regel weniger Kleidung benötigen als Erwachsene. Sind sie zu dick angezogen, entwickelt sich ihr körpereigenes Abwehrsystem nicht entsprechend und sie werden anfälliger für Krankheitserreger von außen – ähnlich wie Pflanzen aus dem Gewächshaus, die auch keine starke Widerstandskraft mehr besitzen. Diese Metapher läßt sich noch weiter ausführen: wenn man im Frühjahr Pflanzen ans Freie gewöhnen möchte, stellt man sie zunächst tagsüber nach draußen und bringt sie nachts wieder herein, um sie abzuhärten. Auch Kinder müssen abgehärtet werden. Das soll jedoch nicht heißen, daß Kinder keine warme Kleidung benötigen, wenn es kalt ist, man soll sie lediglich nicht zu dick einpacken.

Massagen

Die Ming-Dynastie (1368–1644) schien in China eine Blütezeit für verschiedenste Massagetechniken gewesen zu sein. Während dieser Periode wurden zahlreiche Bücher zu diesem Thema herausgegeben, darunter auch eine Reihe von Werken über Massageanwendung bei Kindern. Kindermassage heißt auf chinesisch „*Xiao er tui na*" und gehört in China für alle Körpertherapeuten und Ärzte, die mit Massage arbeiten, zur Grundausbildung. Die meisten Ärzte, die sich auf TCM-Kinderheilkunde spezialisiert haben, kennen ebenfalls die Grundbegriffe. Wie wir in den folgenden Kapiteln sehen werden, gibt es eine ganze Reihe von Behandlungsmethoden bei Kinderkrankheiten, die auf dieser *Xiao er tui na* basieren. Einige davon sollten alle Mütter und Väter beherrschen.

Rollmassage entlang der Wirbelsäule

Diese Technik wird präventiv in chinesischen Tagesheimen angewandt. Sie soll nicht nur alle Organe tonisieren, sondern auch das Zentralnervensystem und das äußere Abwehrsystem des Körpers stärken. Man macht es bei

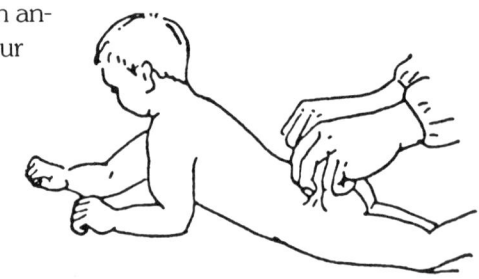

Säuglingen und Kleinkindern gewöhnlich einmal am Tag. Dazu legt man das Kind nackt auf den Bauch, faßt die Haut im Kreuzbeinbereich sacht mit Daumen, Zeige- und Mittelfinger und hebt sie etwas an. Vorsichtig rollt man dann diese Hautfalte vom Kreuzbein hoch bis zum Nacken. Die Rollbewegung entsteht, indem man die Haut mit den Daumen nach vorne schiebt und mit Zeige- und Mittelfinger nachgibt.

Sobald Sie am Nacken angekommen sind, lassen Sie die Haut los, kehren wieder zum Kreuzbein zurück und fassen eine neue Hautfalte. *Diese Technik darf nur von unten nach oben, also vom Kreuzbein aus bis zum Halsansatz, und nicht anders herum durchgeführt werden!* Dabei rollt man die Haut direkt über der Wirbelsäule nach oben. Dies macht man etwa drei- bis fünfmal pro Sitzung, nicht öfter. Wird diese Massage täglich durchgeführt, soll sie den allgemeinen Gesundheitszustand des Kindes und seine Widerstandskraft verbessern.

Bauchreiben

Wir haben bereits gesehen, welche wichtige Rolle die Verdauung für den Gesundheitszustand eines Säuglings oder Kleinkindes spielt. Daher ist es nicht überraschend, daß man mit entsprechenden Bauchmassagen die Verdauung positiv beeinflussen kann. Man legt das Kind dazu auf den Rücken und macht den Bauch frei. Zum Reiben verwendet man die flachen Fingerspitzen einer Hand. Man beginnt dabei im unteren rechten Bauchbereich und reibt in kleinen Kreisbewegungen sachte nach oben. Die Fingerspitzen sollten die Haut dabei stets berühren. Der Druck ist sacht und beständig; er darf für das Kind keinesfalls unangenehm sein.

Wenn Sie an der oberen Bauchregion angelangt sind, reiben Sie weiter in kleinen Kreisbewegungen von rechts nach links über den Oberbauch. An der linken Seite angekommen massieren Sie jetzt in kleinen Kreisen nach unten und schließlich von der unteren linken Bauchseite wieder zurück zur rechten unteren Bauchseite, von wo aus Sie von neuem beginnen. Auf diese Weise massiert man den gesamten Bauchraum, angefangen von rechts unten nach rechts oben über links oben nach links unten und wieder nach rechts unten. Dieser große Kreis folgt dem Verlauf des Dickdarms. Da man mit den Händen in kleinen Kreisbewegungen massiert, nenne ich diese Technik gerne „kleine Kreise in einem großen Kreis machen".

Jetzt fragt man sich natürlich sofort: „In welcher Richtung soll ich denn die Kreise machen?" Man kann die Fingerspitzen sowohl rechts herum als auch links herum kreisen lassen. Rechtshänder tendieren dabei automatisch zu Rechtskreisen. Die Frage, ob man in Rechts- oder Linkskreisen massieren soll, ist entscheidend, da die Wirkung eine unterschiedliche ist. Massiert man nämlich in kleinen Rechtskreisen, fördert das den Stuhlgang und löst Stagnation (Nahrungsstau). Kleine Rechtskreise sind daher bei einem Überschuß-Zustand geeignet, also bei Nahrungsstau oder Verstopfung. Die kleinen Rechtskreise helfen Magen und Dickdarm bei der Entleerung. Kleine Kreise links herum hingegen stärken die Milz und stoppen Durchfall, der durch Chi-Mangel oder -schwäche der Milz entstanden ist.

Die nächste Frage lautet jetzt: „Woher weiß ich denn, ob mein Kind einen Magen-Darm-Überschuß oder einen Milzmangel hat?" und das ist eine gute Frage. Allgemein gilt: wenn Ihr Kind kalte Hände und Füße hat, ständig müde ist, schlecht ißt und zu breiigem Stuhl tendiert und wenn sich am Nasenrücken und zwischen den Augen eine blaue Vene zeigt, hat es sehr wahrscheinlich einen Milzmangel, und die Massage mit Linkskreisen tut ihm gut.

Hat das Kind hingegen gewöhnlich eine rote Gesichtsfarbe, warme Hände und Füße, einen eher zu festen als zu weichen Stuhl, womöglich noch schlechten Atem oder stark riechenden Stuhl, schreit laut und ist sehr aktiv, zeigt es vermutlich einen Hang zu Magenüberschuß und Nahrungsstau. In diesem Fall ist eine Massage mit kleinen Rechtskreisen anzuwenden.

Wie wir bereits in Kapitel 1 gehört haben, ist Gesundheit nach der Chinesischen Medizin eine Frage von Ausgewogenheit. Zuviel des Guten ist auch schlecht. Daher darf der werte Leser jetzt nicht glauben, daß das Tonisieren der Milz auch dann gut ist, wenn das Kind tatsächlich an Magenüberschuß und Nahrungsstau leidet. In diesem Fall ist es nützlicher, nicht die Milz zu stärken, sondern die überschüssige Ansammlung abzuleiten. Denken Sie nun also nicht, daß Linkskreise notwendigerweise besser sind als Rechtskreise. Ich selbst habe die Erfahrung gemacht, daß Kinder im Westen eher die Massage mit kleinen Rechtskreisen als mit Linkskreisen benötigen.

Dieses Bauchreiben sollte mehrmals hintereinander durchgeführt werden. Es unterstützt die Verdauung und die Ausscheidung, stimuliert Blut- und Lymphfluß, trainiert die Muskeln, und ist überhaupt ein wunderbare Gelegenheit, um mit seinem Kind in Körperkontakt zu treten. Sie können Ihr Kind jeden Tag am ganzen Körper massieren. Dr. Fan Ya-li, eine chinesische Ärztin, die sich auf Chinesische Körpermassage spezialisiert hat, beschreibt in ihrem Buch "Chinese Infant Massage Therapy" („Chinesische Massagetherapie für Kinder", Blue Poppy Press) mehrere vorbeugend wirkende Ganzkörpermassagen für Kleinkinder.

Rechtzeitig behandeln

Kinder sollten, und das gilt sowohl für zuhause als auch für den Arzt, bei den ersten Anzeichen einer Krankheit umgehend behandelt werden. Wird also der Stuhl des Säuglings oder des Kleinkinds zu weich, sollte man sofort die Ernährung eingrenzen. Ein breiiger Stuhl ist gewöhnlich das erste Anzeichen, daß das Kind aufgrund falscher Ernährung krank wird. Meist sind Zucker und Süßigkeiten, darunter auch Obstsäfte, fette, ölige Speisen oder auch kaltes Essen oder Getränke aus dem Kühlschrank die Übeltäter. Sollte also der

Stuhl des Kindes breiig werden, weil es zuviel von diesen Speisen genossen hat, muß man als erstes diese Nahrungsmittel aus dem Speiseplan des Kindes streichen.

Ist einem der breiige Stuhl als erstes Indiz einer möglichen Erkrankung nicht aufgefallen, ist das zweite Alarmsignal oftmals eine vermehrte Schleimbildung in der Nase. Wenn ihnen also eine vermehrte Schleimabsonderung aus der Nase ins Auge sticht, sollten Sie umgehend ernährungsmäßig eingreifen und dem Kind nur reine, gekochte und warme Speisen füttern, auf keinen Fall zuckerhaltige Lebensmittel, Süßigkeiten, Milchprodukte oder rohe, kalte oder eisgekühlte Speisen. An dieser Stelle können auch die Bauchmassagen nützlich sein. Hat das Kind kalte Hände und Füße, eine blasse Gesichtsfarbe und eine blaue Vene an der Nasenwurzel sollte man in kleinen Kreisen gegen den Uhrzeigersinn massieren, um die Milz zu stärken; bei warmen Händen und Füßen, einer rötlichen Gesichtsfarbe und einem Hang zu hohen Fieber hingegen massiert man in kleinen Kreisen im Uhrzeigersinn, um den Nahrungsstau aufzulösen. Ein professioneller TCM-Arzt würde in diesem Fall auch bestimmte Kräuterrezepturen verschreiben, die gegen Stagnation, trockene Feuchte und Schleimbildung wirken. Wird dem Kind häufig kalt, werden noch Kräuter zur Stärkung der Milz verordnet; ist es ihm hingegen oft zu heiß, kann man zusätzlich noch Kräuter zur Hitzesenkung verabreichen.

Chinesische Kräuterheilkunde

Die Chinesische Kräuterheilkunde zählt zu den komplexesten Kräuterheilkunden der Welt. In der Regel besteht eine Rezeptur aus sechs bis zwanzig verschiedenen Ingredienzien, die alle auf das jeweilige Disharmoniemuster der betreffenden Person abgestimmt sind. Die Chinesische Kräuterheilkunde ist sowohl zur vorbeugenden Behandlung als auch im konkreten Krankheitsfall als Medizin für Kinder geeignet. Manchmal wird angeführt, daß diese chinesischen Kräuter für Kleinkinder schlecht zu schlucken wären. Das wäre richtig – wenn die

Kinder jetzt Unmengen von bitterem Kräuterabsud trinken müßten. Normalerweise sprechen Kinder jedoch auf geringe Dosen an. Man kann daher die chinesischen Kräuter zu einem Tee kochen und Kindern dann mit der Pipette einflößen. Meist geht das problemlos, wohingegen der gleiche Tee in der Tasse oft verweigert wird.

Es gibt eine ganze Reihe von Kräuterrezepten, die chinesische Ärzte seit über 2.000 Jahren zur Verbesserung des allgemeinen Gesundheitszustands der Kinder verschreiben. Meist enthalten sie chinesische Kräuter, die die Milz stärken, den Magen harmonisieren, Feuchtigkeit beseitigen, Schleim abbauen und anormale Hitze aus Magen und Darm verbannen. Eine dieser Rezepturen heißt auf chinesisch *Xiao Chai Hu Tang*. Es ist die Kräutermischung, die ich selbst in meiner Praxis am häufigsten zur Vorbeugung bei Säuglingen und Kleinkindern verschreibe. Sie wirkt vorbeugend bei chronischer Mandelentzündung, chronischen Ohrenschmerzen und chronischem Husten und Erkältungskrankheiten. Sie sollten dieses Rezept aber nie selbst „verordnen", sondern vorher einen erfahrenen TCM-Fachmann um Rat fragen, denn es kann sein, daß gerade Ihr Sohn oder Ihre Tochter eine andere Mischung benötigen, die sie gesundheitlich wieder ins Lot bringt.

Ich möchte damit aber nicht die Empfehlung aussprechen, jedem Kind prophylaktisch chinesischen Kräutertee zu trinken zu geben. Bei den meisten Kleinkindern reicht es aus, wenn Sie auf ihre Ernährung achten. Manche Kinder leiden aber häufig an chronischen oder immer wieder auftretenden Infekten und wurden mehrfach schon mit Antibiotika behandelt. In diesem Fall macht es Sinn, ihnen chinesische Kräutertees zu verabreichen. Normalerweise beginne ich mit der Kräuterbehandlung Anfang Herbst und führe sie bis ins Frühjahr hinein durch. In den meisten Fällen genügt ein Jahr intensive Kräuterbehandlung, um die Kinder wieder ins Lot zu bringen. Nur sehr selten muß die Behandlung im nächsten Jahr fortgesetzt werden. Das geschieht aber meist nur dann, wenn die Ernährung nicht entsprechend umgestellt wurde und wenn vermehrt Antibiotika zum Einsatz kamen.

Ist Chinesische Kräutermedizin gefährlich?

In letzter Zeit geisterten ein paar Negativmeldungen durch die amerikanische Presse, die die Sicherheit von chinesischen Kräuterpillen anzweifelten. Es wurden mehrere Fälle von Nebenwirkungen beobachtet und auch festgestellt, daß einige Produkte mit Schwermetallen belastet oder mit westlichen Medikamenten vermengt waren. Ich empfehle in der Regel keine Fertigmischungen, da diese mit Schwermetallen wie Blei belastet sein können oder auch Aspirin, Koffein und manchmal auch rezeptpflichtige Medikamente enthalten, was nicht auf der Packung angegeben ist (dies gilt nur für die

USA, Anm. d. Verl.). Es gibt natürlich auch chinesische Fertigprodukte, die von allerbester Qualität sind. Doch wie soll der Laie wissen, was gut ist und was nicht? Am besten vermeidet man ominöse Fertigprodukte aus Asien, da die Herstellerfirmen dort nicht an unsere Reinheitsstandards und die Ausweispflicht der einzelnen Inhaltsstoffe wie bei uns üblich gebunden sind (einige Ausnahmen von dieser Empfehlung finden Sie im Kapitel über die Behandlung verschiedener Krankheiten).

Ich persönlich empfehle immer frisch zubereitete Kräutermischungen aus frischen, losen Heilkräutern, die dann zu einem Tee oder Absud gekocht werden. Sind die Heilkräuter einzeln und lose verpackt, hat der Fachmann noch Überblick über Echtheit und Qualität des Produkts. Außerdem kann man mit frischen, losen Heilkräutern individuelle Mischungen ganz genau nach Rezept mischen und exakt auf die Bedürfnisse des Patienten abstimmen. Wird also die Kräutermischung genau nach Rezept frisch zusammengestellt und hat das Rezept ein erfahrener TCM-Arzt nach gründlicher Diagnose verordnet, kann man sicher sein, daß die Medizin völlig harmlos ist und sich keine ungewünschten Nebenwirkungen einstellen werden.

Einige im Westen praktizierende TCM-Ärzte verwenden inzwischen auch westliche Fertigprodukte, sei es als Tabletten, als Pulver oder als Tinktur. Die Medikamente werden in der Regel aus Heilkräutern gewonnen, die zwar in China oder Taiwan geerntet, aber im Westen nach westlichen Sicherheitsvorschriften gefertigt werden. Diesen Produkten ist in der Regel ebenfalls Vertrauen zu schenken, da sie strengen Kontrollen durch die jeweiligen Gesundheitsbehörden unterliegen. Trotzdem sollten Sie diese Präparate nicht in Selbstmedikation verwenden, sondern lieber einen erfahrenen TCM-Arzt konsultieren.

Akupunktur

Akupunktur ist die Kunst, mit an bestimmten Körperstellen eingestochenen dünnen rostfreien Stahlnadeln den Chi- und Blutfluß wieder ins Gleichgewicht zu bringen und zu harmonisieren. In der Chinesischen Kinderheilkunde findet die Akupunktur jedoch nicht häufig Anwendung. Manche Schulen verbannen sie sogar über ein Mindestalter von 7, teilweise sogar 13 Jahren hinaus. Die Akupunktur im weiteren Sinne umfaßt jedoch eine Reihe von Behandlungsmethoden, die ähnlich wirken, jedoch ohne das Einstecken von Nadeln auskommen und die damit besonders gut für die Behandlung von kleineren Kindern – sowohl präventiv als auch im konkreten Krankheitsfall – geeignet sind.

In Japan hat sich eine Akupunkturrichtung für Kinder namens *Shonishin* herausgebildet. Der Ausdruck ist im Grunde nichts anderes als das chinesische Wort für Kinder-Akupunkturnadel. *xiao er zhen,* nur japanisch ausgesprochen. Die Geräte im Shonishin sind mit der Akupunkturnadel nur noch im weitesten Sinn verwandt. Meist handelt es sich hierbei um eine Ansammlung von kleinen Walzen, Schabern, stumpfen Scheren und Bürsten. Der Fachmann verwendet diese Instrumente zur Stimulierung verschiedener Akupunkturpunkte und -kanäle an der Hautoberfläche der Kinder. Auf diese Weise kann der Chi-Fluß angeregt und harmonisiert werden, ohne die Haut zu durchstechen. In der Chinesischen Kinderheilkunde heißt es: „Weil Fleisch und Muskeln noch weich und zart sind, übertragen sie Veränderungen schnell". Einerseits bedeutet dies, daß sich bei Kindern Krankheitserreger schnell im Körper verbreiten, andererseits heißt es aber auch, daß die Heilwirkung schneller über die Oberfläche übertragen werden kann als bei Erwachsenen. Damit läßt sich auch ohne den Einsatz pieksender Nadeln ein ähnlicher Stimulierungsgrad erreichen wie bei Erwachsenen mit der klassischen Akupunktur.

Regelmäßige, wöchentlich angewandte Shonishin-Behandlungen sind ein wirkungsvolles Heilmittel bei der Behandlung und Vorbeugung häufig auftretender Kinderkrankheiten wie chronische Bronchitis, Mandelentzündung (Tonsillitis) und Ohrenschmerzen. Sobald man die Krankheit im Griff hat, genügt oft zur Prophylaxe eine Shonishin-Behandlung alle paar Monate, ähnlich wie der alle 5.000 km fällige Ölwechsel am Auto. Kinder mögen diese Behandlung in der

Regel sehr gern, da sie überaus angenehm ist. Nicht alle Ärzte oder Heilpraktiker, die Akupunktur praktizieren, kennen diese Technik; daher sollten Sie sich im Bedarfsfall vorher informieren.

Liebe und Disziplin

In den meisten chinesischen Fachbüchern über Kinderheilkunde steht nichts zu diesem Thema. Vielleicht wird es in China einfach vorausgesetzt. Hier in unserer hektischen westlichen Welt hingegen, wo fast jeder außer Haus zur Arbeit geht, können Liebe und Disziplin nicht einfach vorausgesetzt werden. Kein Kind kann wirklich in voller geistiger und körperlicher Gesundheit gedeihen ohne eine Menge Liebe. Diese Liebe muß nun sowohl körperlich als auch mit Worten ausgedrückt werden. Andererseits brauchen Kinder auch klar umrissene Grenzen, um sich sicher zu fühlen. Liebe und Disziplin widersprechen sich hier nicht, denn Kinder benötigen beides, um körperlich und geistig gesund aufzuwachsen.

Ein Kind auf natürlichem Weg gesund zu erhalten, ist nicht immer einfach. Schon vor etlichen Jahren kam der Spruch auf: „Mutter

Natur läßt sich nicht täuschen". Wenn man abgehetzt vom Büro nach Hause kommt, läßt man das Kind gerne essen, was immer es mag, da es der Weg des geringsten Widerstands ist. Doch dann die ganze Nacht über am Bett zu sitzen, weil das liebe Kleine vor Ohrenschmerzen weint, macht auch keinen Spaß. In diesem Fall geht man dann mit dem Kind zum Arzt und läßt Antibiotika verschreiben – auch wieder der Weg des geringsten Widerstands. Wenn die Ohrenschmerzen aber immer häufiger auftreten, wird auch der Weg zum Arzt immer lästiger. Hat man erst einmal – aufgrund von Unwissenheit und mit der allerbesten Absicht – einen falschen Weg eingeschlagen, und das Kind erkrankt wiederholt an Mandelentzündung oder Ohrenschmerzen, ist es sehr schwierig, mit den alten Gewohnheiten zu brechen und gesunde einzuführen. Ich kann Ihnen aber versichern: wenn Sie erst einmal über das Gröbste hinweg sind, geht der Rest meist ganz von selbst.

Antibiotika möglichst vermeiden

Antibiotika sind ein wunderbares Medikament, das Leben retten kann, vorausgesetzt, es wird richtig und in Maßen eingesetzt. Leider wurden Antibiotika in den letzten Jahren in unverantwortlicher Menge verschrieben und das auch bei Krankheiten, gegen die sie überhaupt nicht wirken, wie etwa Virusinfektionen. Das hat zur Entwicklung vieler neuer infektiöser Bakterienarten geführt, die gegen Antibiotika resistent sind. Selbst wenn das nicht der Fall wäre, sollte man Antibiotika wirklich nur in den Fällen verschreiben, wo sie tatsächlich angebracht sind. Antibiotika wirken nämlich sehr stark und töten nicht nur die krankmachenden Bakterien, sondern auch die nützlichen, die unser Körper für seine Gesundheit benötigt.

Im menschlichen Körper leben zahlreiche Bakterien, die in unserem Organismus wertvolle Arbeit verrichten. Insbesondere im Darm sind verschiedene Bakterien- und Pilzarten angesiedelt, die mit uns in Symbiose leben, d. h. beide Parteien – Mensch und Kleinorganismen – profitieren von dieser Gemeinschaft. Die Bakterien helfen beim Abbau der Nahrung und der dabei anfallenden Abfallprodukte. Andere Bakterienarten wiederum regeln das ausgewogene Verhältnis verschiedener Hefe- und anderer Pilze. Diese Hefepilze leben auch in unserem Körper und leisten uns wertvolle Dienste.

Werden jetzt mit einer Dosis Antibiotika die nützlichen Bakterien zusammen mit den schädlichen ausgerottet, bringt dies das Gleichgewicht unseres Organismus, vor allem das unserer Darmflora, durcheinander. Dies führt wiederum zu einer massiven Kettenreaktion, die langfristig gesehen tiefgreifende negative Auswirkungen auf unser Wohlergehen und unseren Gesundheitszustand hat. Werden die Baktieren, die die Hefe- und andere Pilze in unserem Darm unter Kontrolle halten, beschädigt, beginnen diese explosionsartig zu wuchern. Dabei geschieht dreierlei: Zunächst wandern die Pilze aus dem Darmtrakt in den Körper hinein. Im Körper müssen sie sich nun gegen die Angriffe des Immunsystems schützen, da dieses sie als fremde Zellen ausmacht, die nicht in den Körper hinein gehören. Um sich jetzt vor dieser Immunreaktion des Körpers zu schützen, verfügen die Pilze über ein ausgeklügeltes System: Sie produzieren und schütten bestimmt hormonähnliche Substanzen aus, die zum einen das Immunsystem schwächen und zum anderen das empfindliche Gleichgewicht der verschiedenen Körperhormone durcheinander bringen. Hormone sind die Boten des Körpers, die für die Konstanz des inneren Körpermilieus (Homöostase) sorgen.

Irgendwann sterben diese Pilze dann einmal ab. Beim Absterben zerfallen sie in Fremdmoleküle. Das körpereigene Immunsystem erkennt diese fremden Moleküle als solche und geht gegen sie vor. Diese Hefe- und sonstige Pilze schwächen das Immunsystem also nicht nur, weil sie als Fremdkörper eindringen und die Immunabwehr durcheinander bringen, sondern halten es vielmehr auch dauerhaft mit ihren Abfallprodukten auf Trab!

Dazu kommt ein dritter Punkt: Wenn diese Pilze durch die Darmwand hindurch ins Körperinnere wandern, wird die Darmwand auch für andere Substanzen durchlässig, die normalerweise nicht ins Körperinnere gehören. Dies sind gewöhnlich große, unverdaute Nahrungsmoleküle. Gelangen diese in den Körper, erkennt das

Immunsystem sie als Fremdkörper und greift sie an. Auf diese Weise wird der Körper allergisch auf diese großen Nahrungsmoleküle, die unverdaut durch den Darm wandern, denn eine Allergie ist nichts anderes als eine Immunreaktion auf Stoffe, die bei gesunden Menschen keine Abwehrreaktion auslösen.

Das Nettoergebnis dieser Antibiotika-„Schlachten" läßt sich wie folgt zusammenfassen: 1) Die Darmwand wird durchlässig und leckt. 2) Es kommt zu einer hormonellen Störung des Immunsystems und 3) zu ständigen allergischen Reaktionen. Diese kontinuierlichen allergischen Reaktionen schwächen auf Dauer das Immunsystem, wodurch der Körper immer anfälliger für Krankheitserreger wird, die er vorher spielend, ohne Anzeichen von Krankheit, bewältigt hätte. Irgendwann ist das Immunsystem dann so überlastet und durcheinander, daß es nicht mehr unterscheiden kann, was zum Körper gehört und was Fremdstoffe sind. An diesem Punkt kann es sich sogar selbst angreifen, was zu Autoimmunkrankheiten wie rheumatische Arthritis, Multiple Sklerose etc. führen kann.

Dieses Szenarium spielt bei den auslösenden Mechanismen der meisten Krankheiten, mit denen wir uns im Westen herumschlagen, eine immer bedeutendere Rolle: bei Allergien, Immunschwächen und Autoimmunkrankheiten, aber auch bei zahlreichen Virenkrankheiten, darunter auch Diabetes. Als TCM-praktizierender Gynäkologe habe ich festgestellt, daß dieses Szenarium auch an Endometriose, immunologisch bedingter Unfruchtbarkeit, prämenstruellem und Menopausensyndrom durch Autoimmunthyroiditis und Ovaritis (Eierstockentzündung) beteiligt ist. Selbst bei der Entstehung und Ausbreitung vieler Krebsformen spielt es eine Rolle. Wenn einem diese Funktionsmechanismen klar sind, lassen sich eine ganze Reihe von Kinderkrankheiten wie chronischen, wiederholt auftretenden Ohrenschmerzen oder Mandelentzündungen und chronischen Allergien, ja selbst Ekzeme und chronisches Asthma heilen.

Chinesische Medizin und Antibiotika

Auf den letzten Seiten dieses Buches habe ich die schädliche Wirkung von Antibiotika nach westlicher Auffassung beschrieben. Auch die Chinesische Medizin kennt diese Auslösereaktionen, stellt sie aber anders dar. Heilkräuter, die ausgeprägte antibaktierelle, antimikrobielle und entzündungshemmende Eigenschaften haben, werden als sehr „kalt" bezeichnet. Die meisten mikrobiellen Infektionen führen bekanntlich zu Entzündungen, die in der Chinesischen Medizin als krankmachendes oder „übles" Vorhandensein von Hitze im Körper gelten. Da Kälte Hitze beseitigt, werden Medikamente mit stark antibakterieller und entzündungshemmender Wirkung als „kalt" bezeichnet.

Diese Logik wird noch von einem weiteren Faktor gestützt. Da die Chinesische Medizin den Verdauungsprozeß als einen warmen Umwandlungsprozeß betrachtet, können extrem kalt wirkende Präparate diesem Prozeß schaden. Die Chinesen sagen dazu, es schadet der Milz. Wird die Milz durch falsche oder übermäßige Verwendung von kalten, entzündungshemmenden Präparaten geschädigt, treten verschiedene Verdauungsstörungen wie Durchfall, breiiger Stuhl, Blähungen und Völlegefühl nach dem Essen auf. Das entspricht genau den Nebenwirkungen vieler Antibiotika. Da die Milz in der Chinesischen Medizin für die Bildung von gesunden Chi im Körper zuständig ist, führt eine Beschädigung der Milz zu Ermüdung, kalten Händen und Füßen, Appetitmangel und blasser Gesichtsfarbe. Weil es auch das gesunde Chi ist, das das üble, krankmachende Chi im Körper bekämpft, kann der Körper bei einer Beeinträchtigung der Milz eindringende Erreger oder Entzündungen nicht so wirkungsvoll bekämpfen wie sonst. Die Chinesische Medizin sagt dazu, die angreifenden Übel nutzen diese Schwäche aus und dringen wiederholt in den Körper ein. Und da die Milz darüber hinaus auch für den Transport und die Umwandlung der Körperflüssigkeiten zuständig ist, sammelt sich bei einem durch kalte Medikamente angegriffenen Yang-Chi der Milz Wasser und Feuchtigkeit an, die wiederum zu Schleimbildung führen.

Daran läßt sich erkennen, daß auch vom Standpunkt der Traditionellen Chinesischen Medizin aus ein falscher oder übertriebener Einsatz von Antibiotika der Milz schadet und den Körper anfälliger für Krankheiten wie Ohrenschmerzen, Mandelentzündungen und verschiedene Allergien macht und daß auch aufgrund der vermehrten Schleimbildung und -ansammlung Schnupfen, Husten und Asthma entstehen. Ein gesunder Mensch mit kräftiger Milz wird normalerweise schnell gesund, wenn er mit Antibiotika behandelt wird und spürt auch kaum Nebenwirkungen oder langfristige Folgen. Ist jedoch die Milz bereits geschwächt oder werden häufiger Antibiotika eingesetzt, schwächt dies die Milz noch mehr. Die Infektionen treten erneut auf, man gibt wieder Antibiotika, und so geht ein Teufelskreis ohne Ende los.

Aus dem Gesagten folgt, daß man Antibiotika wirklich nur dann einsetzen soll, wenn sie unbedingt notwendig sind. Inzwischen haben ja auch schon zahlreiche Ärzte im Westen erkannt, daß der übermäßige Einsatz von Antibiotika ein großes Gesundheitsproblem auf der ganzen Welt verursacht.

Ich denke, man sollte Antibiotika als oberste Sprosse auf der Leiter der verschiedenen Behandlungsmöglichkeiten sehen. Liegt eine Infektion vor, sollte man es zunächst mit einfacheren, weniger drastischen Lösungen versuchen. Schlagen diese nicht an, geht man auf der Leiter eine Sprosse höher und versucht die nächste Stufe. Nur wenn der Zustand sehr ernst und möglicherweise lebensbedrohlich ist oder eine hohe Wahrscheinlichkeit dazu (nicht nur die vage Möglichkeit eines langfristigen Schadens) vorliegt, ist der Einsatz von Antibiotika tatsächlich gerechtfertigt. Antibiotika sind sozusagen der Trumpf im Ärmel, wenn andere, harmlosere Behandlungsmethoden fehlgeschlagen sind. Man hält sie in Reserve für den Ernstfall und verwendet sie aber auch nur im Ernstfall.

Der Fall meines eigenen Sohnes

Ich möchte an dieser Stelle meinen Lesern etwas aus der Krankheitsgeschichte meines eigenen Sohnes erzählen. Als Säugling wurde er gestillt und täglich massiert. Er hatte einmal einen Anflug von Kolik, die aber nicht schlimm war und auch nicht lange andauerte. Mit Hilfe von Bauchmassagen und Chinesischer Kräutermedizin hatten wir sie schnell im Griff. Wir ließen unseren Sohn auch nicht mit drei Monaten impfen, sondern erst mit sechs, als wir eine Asienreise planten, und wir dachten, es wäre gut, wenn er ausreichend geimpft wäre. Doch schon nach der ersten Impfung wurde er krank und bekam Ohrenschmerzen. Da er zuvor noch nie krank war, beschlossen wir daraufhin, ihn nicht weiter impfen zu lassen und die Asienreise abzusagen. Wir behandelten die Ohrenschmerzen und das Fieber mit chinesischen Heilkräutern, Massagen, Ohrentropfen und warmen Umschlägen, was ihn schnell genesen ließ. Im Laufe der nächsten zehn Jahre wurde er nie geimpft und bekam auch keine Antibiotika. Wir achteten sehr auf seine Ernährung und kontrollierten den Stuhl wie im vorhergehenden Kapitel beschrieben. Die wenigen Male, die er krank wurde, behandelten wir ihn mit Ernährungsanpassung, zum Teil auch mit Akupunktur und vor allem mit chinesischen Heilkräutern – selbst dann, als er einmal einen leichten Anfall von Scharlach hatte. Im Alter von zehn oder elf Jahren entwickelte er eine akute Staphylokkeninfektion in den Hüftknochen und mußte sofort notoperiert werden, gefolgt von starken Dosen Antibiotika über mehrere Wochen. Die Infektionsursache mögen fötale Toxine gewesen sein, da er zu diesem Zeitpunkt weder offene Schnitt- oder Schürfwunden hatte noch sonstwie krank war. Jedenfalls erholte er sich schneller, als seine Ärzte dachten. Er ist jetzt in der achten Klasse und abgesehen von dieser Operation und einer eintägigen Erkältung hat er nie einen Tag Schule wegen Krankheit versäumt und leidet auch nicht an Allergien.

Ich schreibe diesen außergewöhnlichen Gesundheitszustand meines Sohnes zwei Faktoren zu: 1) seine insgesamt gesunde Ernährung und 2) dem Verzicht auf Einsatz von Antibiotika. Die Tatsache, daß er nicht geimpft wurde, mag ebenfalls dazu beigetragen habe, aber das kann ich nicht hundertprozentig sicher behaupten. Als er einmal unbedingt Antibiotika benötigte, haben wir sie natürlich verabreicht. Anderenfalls hätte er einen dauerhaften Hüftschaden davongetragen und wäre vielleicht sogar gestorben. Die Chinesische Medizin kann eine akute Blutvergiftung nicht so effektiv behandeln wie unsere westlichen Antibiotika. Alles in allem kann ich Eltern nur empfehlen, Antibiotika möglichst zu vermeiden. Im folgenden Kapitel sind viele Behandlungsmethoden beschrieben, die Sie auf den unteren Stufen der Leiter einsetzen können. Im Praxisalltag sollten Antibiotika eher die Ausnahme als die Regel darstellen und in Verbindung mit den besprochenen Ernährungsrichtlichen nur im äußersten Notfall und in geringen Dosen eingesetzt werden.

Impfungen vielleicht vermeiden

Viele Eltern glauben, daß Impfungen für Kinder notwendig und richtig sind. Inzwischen taucht aber vermehrt Fachliteratur auf, die belegt, daß selbst die Standard-Impfungen mit großen gesundheitlichen Risiken verbunden sind. Einige dieser Risiken, so zum Beispiel ein allergischer Schock, sind sogar tödlich. Eine weitere große Gefahr besteht in einer lebenslangen Schädigung. Außerdem geht aus den Statistiken nicht hervor, daß die Todesrate bei einigen der Krankheiten, gegen die regelmäßig geimpft wird, aufgrund der Immunisierung gesunken wäre. In einigen Fällen scheint es sogar, daß die Todesrate noch vor Aufkommen der Standardimpfung zurückgegangen ist oder auch in Ländern gesunken ist, die sich nicht an der allgemeinen Impfung beteiligt haben. Außerdem stellt sich immer mehr die konkrete Frage, wie wirksam diese Impfstoffe sind und ob sie tatsächlich Schutz vor diesen Krankheiten bieten. In den USA wurde in diesem Zusammenhang bereits ein Fonds für Opfer von Impfschäden eingerichtet, was ein Beweis dafür ist, daß Impfen mit Risiken verbunden ist. Sonst bräuchte man ja keinen Fonds für die

Opfer. Das ganze Thema Schutzimpfungen ist äußerst heikel, und immer mehr Eltern wissen nicht mehr, ob sie ihre Kinder nun impfen lassen sollen oder nicht.

Da sich eventuelle Folgeschäden durch Impfungen nicht eindeutig ausschließen lassen und da man ferner weiß, daß ein gewisser Prozentsatz an Kindern tatsächlich ernste Schäden bei Schutzimpfungen davonträgt, rate ich gewöhnlich davon ab. Natürlich ist das eine Entscheidung, die im Ermessen der Eltern steht und die man auch nicht mit einem klaren Ja oder Nein beantworten kann. Wir leben nicht in einer perfekten Welt und keiner von uns kann es exakt beurteilen. Aber Eltern wollen immer nur das Beste für ihre Kinder und möchten sie vor jeder möglichen Gefahr schützen. Leider ist das nicht immer möglich, und wenn wir es versuchen, schaffen wir damit neue Probleme.

Diphterie, Keuchhusten, Tetanus

Die Schutzimpfung für diese drei Krankheiten wird gerne als Kombination „im Paket" vorgenommen. Manchmal bekommen Säuglinge ihre erste Schutzimpfung bereits im Alter von zwei Wochen. Diese drei Impfungen werden zwar gerne auf einmal gegeben, man kann sie aber auch getrennt verlangen und gegebenenfalls einzeln wiederholen, zum Beispiel nur gegen Tetanus impfen lassen oder nur gegen Diphterie und Keuchhusten.

Diphterie

Diphterie ist eine äußerst ansteckende und gefährliche Krankheit. In den westlichen Industrieländern tritt sie glücklicherweise selten auf. Wenn jemand jedoch häufig in Länder reist, wo Diphterie eine stete Gefahr ist, oder dort lebt, ist eine Impfung sinnvoll. Anderenfalls halte ich sie nicht für notwendig. Auch im Fall einer Epidemie, die sich zum eigenen Wohnort hin ausbreitet, ist eine Impfung empfehlenswert. Aus einer von der amerikanischen Gesundheitsbehörde durchgeführten Studie zu diesem Thema geht jedoch hervor, daß der Diphterie-Impfstoff nicht so wirksam ist wie angenommen. Die Chinesische Medizin kennt auch Abhilfen bei Diphterie. Allerdings sollte man Diphterie nicht nur mit Chinesischer Medizin allein, sondern mit einer Kombination aus westlicher und Chinesischer Medizin behandeln.

Keuchhusten

Keuchhusten kommt in den westlichen Industrieländern immer noch vor. Keuchhusten hat aber kaum tödliche Folgen, der Impfstoff hingegen manchmal schon. Das *Institute of Medicine* (Institut für Medizin) der *National Academy of Science* (Nationale Wissenschaftsakademie) in den USA, bestehend aus den elf führenden Kinderärzten, hat gut einеinhalb Jahre lang hunderte von Studien zur Wirksamkeit und Sicherheit von Impfungen durchgearbeitet. Der Ausschuß kam zu der Schlußfolgerung, daß der Keuchhustenimpfstoff eine Reihe von gesundheitlichen Problemen hervorrufen kann. Zudem hat der Impfausschuß des US-Kongresses umfangreiches Datenmaterial von wiederholten Problemen mit diesem Impfstoff vorgelegt. Der Impfstoff stammt nämlich noch aus dem Jahre 1912 und wurde seitdem nicht verändert. Dieser Impfstoff wurde in den USA nie auf seine Sicherheit hin geprüft und auch nicht in der für bis zu sechs Wochen alte Säuglinge gängigen Dosis getestet. Aus den Statistiken geht ebenfalls nicht hervor, daß dieser Impfstoff besonders gut vor dieser Krankheit schützt. Bei den letzten Ausbrüchen von Keuchhusten stellte sich heraus, daß über die Hälfte der Patienten voll geimpft waren. Prof. Gordon Stewart schrieb zu diesem Thema, daß bei Kleinkindern durch die Impfung keine Schutzwirkung nachweisbar sei. Dr. Gordon Morris hat bei einer Anhörung im Mai 1982 bereits ausgesagt, daß die Keuchhustenimpfung nachweislich nur einen Wirkungsgrad von 63–93 % hat.

Die Chinesische Medizin kann Keuchhusten behandeln. Ich rate daher nicht zu einer riskanten Keuchhustenimpfung, wenn sich die Krankheit wirksam mit Chinesischer Medizin behandeln läßt. Wenn allerdings eine professionelle Alternativbehandlung wie etwa mit Chinesischer Medizin an Ihrem Wohnort nicht möglich ist, sollten Sie dies bei Ihrer Entscheidung mit berücksichtigen.

Tetanus (Wundstarrkrampf)

Eine Tetanusinfektion ist gewöhnlich das Ergebnis einer durch Schmutz verunreinigten Stich- oder Schnittwunde. Verursacher sind Keime, die im Schmutz leben. Solange nicht Schmutz in eine Wunde gelangt, ist Tetanus sehr unwahrscheinlich. Der Schutz einer Tetanusimpfung läuft nach etwa zehn Jahren aus. Hat man eine größere Wunde, setzt der Arzt gerne vorbeugend eine Tetanusspritze zur Auffrischung. Allerdings ist die Wirkung fraglich, weil es einige Tage dauert, bevor sich Immunität einstellt. Wer also denkt, er sei lebenslang gegen Tetanus geschützt, liegt falsch. Das gleiche gilt auch für die anderen Impfstoffe: der Schutz ist nicht lebenslang, weil die Wirkung mit der Zeit nachläßt. Das sollte doch nachdenklich stimmen, meine ich. Es bedeutet nämlich, daß die meisten von uns nicht den Schutz genießen, den sie zu haben glauben. Die Chinesische Medizin kennt zwar Mittel gegen Tetanus, doch ich rate zu einer Kombination aus chinesischen und westlichen Behandlungsmethoden.

Das oben erwähnte *Institute of Medicine* (IOM) kam daraufhin zu dem Schluß, daß die Kompaktimpfung gegen Diphterie, Keuchhusten und Tetanus zu zahlreichen Gesundheitsproblemen, ja sogar zum Tode führen kann. Es liegen Beweise vor, die auf einen „Kausalzusammenhang" zwischen der Impfung und einer allergischen Schockreaktion nicht ausschließen. Und ein allergischer Schock kann, wenn er nicht umgehend behandelt wird, tödlich ausgehen. Im Rahmen der gleichen Studie fand man heraus, daß dieser Impfstoff auch zu langanhaltenden Weinkrämpfen und Schreianfällen (bis zu 24 Stunden) führt. Harris L. Coulter und Barbara Loe Fisher schreiben in ihrem Werk: *DPT: A Shot in the Dark* („Diphterie-Keuchhusten-Tetanus: ein Schuß ins Dunkle". A. d. Ü.: ein Wortspiel mit dem englischen Begriff "shot", der sowohl Schuß als auch Injektion bedeutet), dieses Schreien ähnle dem *cri encephalique*, der bei manchen Fällen von Enzephalitis (Gehirnentzündung) auftritt. Enzephalitis oder Meningitis (Gehirnhautentzündung) können zu einer dauerhaften Gehirnschädigung und sogar zum Tode führen. Die IOM-Studie fand tatsächlich einen Zusammenhang zwischen dieser Kombinationsimpfung, akuter Enzephalopathie und Schock. Eine amerikanische Elternvereinigung (Dissatisfied Parents Together) ist der Ansicht, daß ihre Kinder durch die Impfung derartige dauerhafte Schäden davongetragen haben. Weitere mögliche Nebenwirkungen dieses Impfstoffs sind chronische Nervenleiden, Guillain-Barre-Syndrom (eine Form von Lähmung), Diabetes bei Jugendlichen, Lernschwierigkeiten, Konzentrationsschwäche, Krämpfe und plötzlicher Kindstod (SID-Syndrom). Im Zeitraum von Januar bis August trafen im Rahmen des Entschädigungsgesetzes 3447 Berichte über Reaktionen auf diese Kombi-Impfung ein, darunter 398 Fälle von heftigen Konvulsionen, 218 Schockreaktionen, 72 Fälle von Fieberattacken und 75 Fälle von plötzlichem Kindstod. Daraus geht klar hervor, daß eine derartige Impfung mit hohen Risiken verbunden ist, die alle Eltern sorgfältig abwägen müssen, bevor sie ihr Kind impfen lassen.

Kinderlähmung (Polio)

Ich gehörte zur ersten Generation, die bundesweit gegen Kinderlähmung geimpft wurde. In meiner Kinderzeit hatte ich einen Freund, dessen eines Bein aufgrund einer Rückbildung, verursacht durch Kinderlähmung, kürzer war als das andere. Auch in China habe ich in den Krankenhäusern zahlreiche Polio-Patienten gesehen, daher weiß ich, daß Kinderlähmung eine tatsächliche Gefahr darstellt. Allerdings tritt Kinderlähmung in den westlichen Industrienationen nur noch äußerst selten auf. Der Impfstoff als solches kann jedoch bei einem gewissen Prozentsatz der Patienten ernste, ja sogar lebensbedrohliche Nebenwirkungen auslösen. In den USA zum Beispiel wurden die einzigen Fälle von Polio – ein paar Dutzend pro Jahr – entweder durch den Impfstoff oder durch Übertragung von einer Person, die kürzlich damit geimpft wurde, ausgelöst. Aufgrund meiner Erfahrung in China bin ich der Ansicht, daß die Traditionelle Chinesische Medizin als alleiniges Behandlungsmittel gegen Polio nicht ausreicht. Andererseits empfehle ich eine Polio-Impfung auch nicht, es sei denn, das betreffende Kind hat eine Reise in ein Entwicklungsland vor, wo Polio immer noch eine ernste Gefahr darstellt. Sollten Sie sich für eine Impfung entscheiden, verlangen Sie am besten den Tod-impfstoff anstelle des Lebendimpfstoffs, da der inaktivierte Todimpf-stoff nachgewiesenermaßen weniger gefährlich ist.

Masern, Röteln und Windpocken

Von einer Impfung gegen diese Krankheiten rate ich ab. In Asien hält man es sogar für positiv, wenn man diese Krankheiten als Kind kurz durchmacht. Nach der Chinesischen Medizin lassen sich diese Krankheiten auf sogenannte fötale Toxine zurückführen. In chine-sischen Fachbüchern über Kinderheilkunde steht geschrieben: „Auf-grund einer Ansammlung von fötalen Giftstoffen sind sie anfälliger für Pocken." Fötale Toxine sind Giftstoffe, die schon bei der Emp-fängnis auf den Embryo übertragen werden oder sich im Mutterleib entwickeln. Sie bleiben inaktiv im Körper, bis sie irgendwann durch äußere Krankheitserreger „aufgeweckt" werden. Dann manifestie-ren sie sich an der Körperoberfläche als Ausschlag oder Pusteln. Kommen diese Pusteln zur vollen Entwicklung und heilen sie dann folgenfrei ab, hat das Kind davon einen großen Vorteil, da sich sein Körper nun von diesen fötalen Giften befreit hat. Die chinesische Fachliteratur berichtet von Fällen, wo chronische Gesundheitspro-bleme in späteren Jahren auf nicht vollständig ausgebrochene oder ausgeschiedene fötale Toxine zurückzuführen sind.

Die Chinesische Medizin kennt darüber hinaus für diese drei Krankheiten wirksame Behandlungsmethoden. Die größte Gefahr bei Masern ist, daß sie sich zur einer Lungenentzündung auswach-sen können. Behandelt man sie korrekt nach chinesischen Metho-den, ist diese Gefahr sehr unwahrscheinlich. Wenn man seine Kin-der nicht gegen diese drei Krankheiten impfen lassen möchte, sollte man sie in zartem Alter absichtlich diesen Krankheiten aussetzen. Masern und Windpocken wirken sich bei Erwachsenen wesentlich schlimmer aus, und Röteln während der Schwangerschaft können sogar zu gewissen Mißbildungen bei der Geburt führen. Früher pflegten die Leute, regelrechte Masern- und Windpocken-„Partys" zu feiern, damit sich die Kinder ansteckten – und das war rückblik-kend gesehen ein weiser Brauch.

Mumps

Mumps ist eine weitere ansteckende Krankheit, gegen die man sich impfen lassen kann und die vorwiegend Kinder befällt. Die Chinesische Medizin kennt äußerst wirkungsvolle Behandlungsmethoden bei Mumps, und Mumps ist auch keine gefährliche Krankheit, solange man nicht wartet, bis daraus eine Lungenentzündung geworden ist. Sie kann jedoch bei Erwachsenen zu Unfruchtbarkeit führen und verläuft bei ihnen generell heftiger als bei Kindern. Dennoch rate ich hier von einer Schutzimpfung ab.

Kapitel 5

Die Diagnose
bei Säuglingen
in der
Chinesischen Medizin

Die meisten der in diesem Buch empfohlenen Behandlungsmethoden sind für die Pflege des Säuglings zuhause gedacht. Man kann sie sowohl als erste Stufe auf der im vorherigen Kapitel besprochenen Leitereinsetzen als auch in Verbindung mit anderen, professionellen Behandlungsweisen verwenden, um diese Behandlungen noch wirkungsvoller zu gestalten. In einigen Fällen habe ich die Bezeichnungen der chinesischen Kräuterrezepte für bestimmte Krankheiten angegeben und zwar aus dem Grund, um den Leser dadurch eine Vorstellung darüber zu vermitteln, wie professionell angewandte Chinesische Medizin funktioniert. Für eine korrekte Anwendungsweise der Chinesischen Kräutermedizin muß der betreffende Arzt in der Lage sein, eine genaue Anamnese nach der TCM vorzunehmen. Dies bedarf zwar einer jahrelangen Ausbildung, doch ich möchte im Folgenden dennoch einige der Punkte aufzählen, die für den TCM-kundigen Arzt oder Heilpraktiker bei der Anamnese unserer kleinen Freunde von Bedeutung sind. Das hilft den Eltern wiederum, die Art von Informationen zu sammeln, die ihr TCM-Spezialist dann zur genauen Diagnose ihres Kindes benötigt und gibt ihm ferner darüber Aufschluß, wie es um die Gesundheit des Kindes allgemein bestellt ist.

Sun Si-miao (590–682), der berühmte chinesische Arzt der Tang-Dynastie, sagte einst: „Es ist einfacher, zehn Männer als eine Frau zu behandeln und es ist noch einfacher, zehn Frauen als einen Säugling zu behandeln." Damit meinte er folgendes: Da Frauen regelmäßig ihre monatlichen Blutungen haben, kommt noch ein weiterer Punkt hinzu, den man bei der Diagnose und der Zusammenstellung der Behandlungsweise beachten muß. Aus diesem Grund war Sun der Ansicht, daß es schwieriger ist, Frauen zu diagnostizieren und zu behandeln. Babys hingegen machen dem Arzt das Leben schwer, weil sie nicht reden können. Sie können nicht erklären, was ihnen fehlt oder was ihnen weh tut. Aus diesem Grund nennt man in China den Kinderarzt gerne den „Spezialisten für Stumme". Und da man die kleinen Patienten nicht so nach ihrem Gesundheitsstand befragen kann wie Erwachsene, hatte Sun den Eindruck, daß sie noch schwieriger zu diagnostizieren waren als Frauen.

Doch glücklicherweise haben Gynäkologie und Kinderheilkunde seit der Tang-Dynastie große Fortschritte gemacht, und ich bin inzwischen genau der gegenteiligen Ansicht von Sun Si-miao. Hat man nämlich erst einmal die Schlüsselrolle verstanden, die Ernährung und Verdauung in der Kinderheilkunde spielen, dann sind Säuglinge tatsächlich wesentlich leichter zu behandeln als Frauen. (Und wenn man auch noch den monatlichen Menstruationszyklus einer Frau korrekt zu interpretieren weiß, sind Frauen noch viel einfacher zu diagnostizieren als Männer, die einem sowieso nie genau sagen, was ihnen wirklich fehlt!) Aus diesem Grund behandle ich Säuglinge sehr gerne und finde es auch überhaupt nicht schwierig, eine korrekte Diagnose zu stellen. Bei den meisten Kinderkrankheiten versucht der chinesische Arzt zunächst einmal festzustellen, ob der Säugling anormal heiß oder kalt ist, ob er genügend gesundes Chi besitzt oder nicht, oder ob sich in seinem Körper übles, also ungesundes Chi oder eine andere Substanz aufhält, die aus dem Körper entfernt werden muß. Zu seiner Diagnose verwendet der TCM Arzt vier grundlegende Untersuchungsmethoden, die nun im folgenden näher beschrieben werden.

Ansehen

Die erste Untersuchungsmethode ist eine visuelle Überprüfung. Der Arzt untersucht die Augen des Säuglings, seine Gesichtsfarbe, ebenso die Farbe der Hände und Fingernägel, inspiziert genau die Ader unten am Zeigefinger und überprüft generell jeden Bereich des Körpers, der dem Baby weh tut oder sonstwie von Krankheit gezeichnet ist. Die Augendiagnose gibt dem Arzt Aufschluß darüber, wie ernst die Krankheit ist. In China nennt man dies „den Geist des Säuglings überprüfen". Sind die Augen klar und strahlend und ist der Säugling aufmerksam und wach, dann ist die Krankheit nicht so ernst und sollte problemlos auf die Behandlung ansprechen. Sind die Augen des Säuglings hingegen trübe, mit einem Film bezogen und reagieren nicht mehr, dann ist die Krankheit in der Regel gravierend und muß mit großer Sorgfalt behandelt werden. In diesem Fall sollten sich die Eltern dann auch nach Möglichkeit an einen Schulmediziner wenden.

Als nächstes untersucht der TCM-Spezialist die Hautfarbe des Säuglings. Ist die Haut röter als normal? Wenn ja, legt dies nahe, daß der Körper des Säuglings anormale Hitze aufgebaut hat. Ist die Haut bleich und fahl? Das läßt darauf schließen, daß das Kind aus irgendeinem Grund nicht genügend Chi und Blut hat. Oder schimmert die Haut gar grünlich blau? In diesem Fall ist das Kind kalt oder leidet an beträchtlichen Schmerzen. Insbesondere achtet der Arzt auf die Nasenwurzel zwischen den Augen des Säuglings. Schimmert hier eine bläuliche Vene durch, läßt dies darauf schließen, daß die Milz des Säuglings, sprich die Verdauung schwach ist; je deutlicher diese Ader hervortritt, desto schwächer ist die Milz.

Im Anschluß überprüft der TCM-Arzt die Ader unten auf der Handinnenseite des Zeigefingers. Gewöhnlich untersuchte man früher in China bei Buben den linken Zeigefinger und bei Mädchen den rechten. Je nach Größe, Farbe, Sichtbarkeit, Lage und Form dieser Ader kann der TCM-Arzt sagen, ob die Krankheit durch Hitze oder Kälte, Überschuß oder Mangel hervorgerufen wird, wie weit sie bereits fortgeschritten und wie ernst der Zustand des Patienten ist. Diese Aderuntersuchung bei Kindern unter sechs Jahren ist eine Spezialität der Chinesischen Kinderheilkunde und zählt zu ihren wichtigsten Diagnosearten. Sie ersetzt zum Teil auch die Pulsdiagnose, da das Fühlen des Radialispulses bei kleinen Kindern schwierig ist und sehr ungenau wird, da die Kinder in der Regel nicht still sitzen bleiben. Je jünger der kleine Patient, desto wichtiger ist daher die Aderdiagnose.

Darüber hinaus untersucht der TCM-Arzt auch alle Körperteile oder Stellen, von denen das Kind oder die Eltern sagen, daß sie schmerzen oder von einer Krankheit befallen sind. Im Fall einer Windeldermatitis zum Beispiel sieht sich der TCM-Spezialist genau den Ausschlag an und stellt fest, welchen rötlichen Farbton er hat, wie weit er sich ausgebreitet hat, ob er näßt oder trocken ist, ob die Haut bereits aufgerissen oder noch intakt ist. Entsprechend geht er

bei anderen Hautausschlägen vor. Weist dieser Ausschlag eine deutliche Rotfärbung auf, läßt dies auf pathologische Hitze schließen. Geht der Rotton hingegen mehr ins Violette, läßt dies nach der Chinesischen Medizin den Schluß zu, daß es sich hierbei um Toxine, also Giftstoffe, oder einen Blutstau handeln muß. Ein deutlich nässender Ausschlag hingegen läßt auf pathologische Feuchte schließen, eine Eiterabsonderung hingegen weist wiederum auf Giftstoffe hin.

Hören/Riechen

In der Chinesischen Medizin gibt es ein Wort, das sowohl Hören als auch Riechen bedeutet. Worauf der TCM-kundige Arzt oder Heilpraktiker hört, sind etwaige Hustengeräusche. Hustet das Kind stark oder schwach? Klingt der Husten feucht oder trocken? Hat das Kind gar Hustenkrämpfe? Ferner achtet der TCM-Spezialist auch auf die Atemgeräusche. Klingt der Atem asthmatisch und pfeifend oder schleimig und verstopft? Außerdem hört sich der Arzt genau den Klang der Stimme an. Klingt die Stimme rauh oder heiser? Spricht das Kind mit normaler Lautstärke oder ist die Stimme bereits sehr schwach? Spricht das Kind für sein Alter normal? Ist die Sprache verworren?

Die zweite Phase ist das Riechen. Der TCM-Arzt prüft zunächst den Atemgeruch des Patienten, um festzustellen, ob Nahrungsreste unverdaut im Magen liegen. In diesem Fall riecht der Atem schlecht und säuerlich. Ist der Atem hingegen frisch und sauber, kann von Nahrungsstau vermutlich nicht die Rede sein. Als nächstes möchte der TCM-Arzt von den Eltern wissen, wie der Stuhl des Kindes riecht. Ist der Stuhl ausgesprochen übelriechend, leidet das Kind vermutlich an Hitze und Nahrungsstau. Ist der Stuhl hingegen geruchlos, läßt es auf eine schwache Milzfunktion schließen. Wenn auch der Urin stark riecht, läßt dies wiederum auf Hitzestau schließen. In der Praxis ist es meist so, daß die Eltern die Geruchsprobe bei Urin und Stuhl vornehmen und dem Arzt dann ihren „Befund" mitteilen.

Fühlen

Wenn das Kind in die Praxis kommt, tätschelt ihm der TCM-Arzt gewöhnlich den Kopf und die Wange. Die Eltern wissen dies meist nicht, aber für den TCM-Spezialisten hat die Diagnose bereits begonnen. Mit dem Kopftätscheln überprüft der Arzt nämlich, ob sich die Fontanelle dem Alter des Säuglings entsprechend gut geschlossen hat. Beim Streicheln der Wangen hingegen merkt er sofort, ob der

Säugling heiß oder kalt ist. Meist faßt er das Kind dann noch an den Händen, spielt etwas mit ihm und überprüft dabei nochmals, ob sich das Kind heiß oder kalt anfühlt. Irgendwann legt der Arzt das Kind oder den Säugling auf den Rücken und tastet den Bauch ab. Fühlt er sich heiß oder kalt an? Ist die Bauchdecke zu prall und gespannt oder fühlt sie sich weich und unförmig an? Je nach Alter und Verhalten des Kindes wird der TCM-Arzt dann auch eine Pulsdiagnose versuchen. Auf alle Fälle jedoch tastet er sorgfältig jeden Bereich, jede Körperstelle ab, die dem Kind nach eigener Aussage oder nach Aussage der Eltern Schmerzen bereitet. Hat das Kind zum Beispiel Halsschmerzen, greift der Arzt die Drüsen ab, um zu sehen, ob sie hart und geschwollen sind oder weich und nachgiebig.

Das Befragen

Da es meist auf Grund des zarten Alters nicht möglich ist, das Kind selbst zu befragen, wendet sich der TCM-Arzt an die Eltern. Er will von den Eltern wissen, wann die Krankheit oder das Unwohlsein begann, wie lang es sich bereits hinzieht, welche Symptome das Kind hat, wie Stuhl und Urin aussehen und riechen und wie es generell um den Appetit des Kindes, sein Verhalten und seine Schlafgewohnheiten bestellt ist. Wenn Schleim auftritt, welche Farbe hat er? Welche Behandlungen wurden bereits versucht und mit welchem Ergebnis? Wovon ernährt sich das Kind? Was hat es gegessen, bevor es krank wurde? Was war ferner zum Zeitpunkt des Ausbruchs der Krankheit geschehen? Hat das Kind Temperatur? Wird es ihm schnell heiß oder kalt etc.? Einige dieser Fragen würde auch ein westlicher Kinderarzt stellen, andere Fragen wiederum sind allein in der Chinesischen Medizin üblich. Aller Wahrscheinlichkeit nach wird sich ein TCM-Kinderarzt jedoch mehr für die Ernährung des Kindes, seinen Appetit, Stuhlgang und Verdauung interessieren als ein westlicher Schulmediziner.

Die letztendliche Diagnose hängt von der Synthese der Information ab, die der TCM-Spezialist durch diese vier Untersuchungstechniken gesammelt hat. Er mag darüber hinaus noch Laboruntersuchungen oder das Anlegen von Kulturen in Auftrag geben. Doch selbst wenn solche Laboruntersuchungen durchgeführt wurden, wird die TCM-Diagnose nicht auf dieser Grundlage erstellt. Eine Behandlungsweise nach TCM sollte vorwiegend auf dem Disharmoniemuster beruhen, denn gerade dieses Prinzip ist es ja, das die Traditionelle Chinesische Medizin so sicher und wirksam macht.

Wenn Eltern ihren Sprößling zum ersten Mal in die Praxis eines TCM-Kinderarztes bringen wird das Kleine vermutlich wahrnehmen, daß es wieder einmal bei einem Arzt gelandet ist und das übliche Gebrüll beginnen, weil es die unsanfte Behandlung mit Spritzen, Kneifen oder gar bestrafende Maßnahmen nur allzugut in Erinnerung hat. Kinder merken jedoch schnell, daß es beim TCM-Arzt in der Regel nicht weh tut und daß der Arzt sehr sanft und liebevoll mit ihnen umgeht. Daher lassen sich Kinder normalerweise sehr gerne von einem TCM-Arzt untersuchen – und ich muß gestehen, ich persönlich freue mich auch immer sehr auf meine kleinen Patienten!

Kapitel 6

Die wichtigsten Behandlungsmethoden in der Chinesischen Kinderheilkunde

Abgesehen von einer Ernährungsumstellung kennt die Traditionelle Chinesische Medizin bei Kinderkrankheiten drei Hauptbehandlungsmethoden. Allerdings ist dazu zu sagen, daß auch diese drei Methoden nur dann eine dauerhafte Wirkung haben, wenn man auch die Ernährung entsprechend umstellt und anpaßt. Die drei wichtigsten Behandlungsmethoden in der Chinesischen Kinderheilkunde sind die Chinesische Kräutermedizin, die Massage und die Akupunktur. Jede dieser drei Methoden hat ihren bestimmten Anwendungszweck, ihre Vorteile und auch ihre typischen Eigenschaften. Einige TCM-Spezialisten verwenden alle drei Methoden, andere wiederum nur eine oder zwei.

Die Chinesische Kräuterheilkunde

Die meisten TCM-Ärzte in China sind Experten in Kräuterheilkunde, und auch der Großteil der Bücher und Artikel, die zum Thema Chinesische Medizin publiziert werden, haben die Chinesische Kräuterheilkunde zum Mittelpunkt. Wenn man in China in einem Krankenhaus nach dem Kinderarzt oder nach der Abteilung für Kinderheilkunde fragt, wird man in der Regel zur Abteilung Kräuterheilkunde geschickt. Und wenn man ein Buch über Chinesische Kinderheilkunde öffnet, so wird man unter dem Stichwort Behandlungsmethoden vorwiegend Rezepte aus der Chinesischen Kräutermedizin vorfinden. Obwohl es im Chinesischen immer um Kräuterheilkunde geht, sind nicht alle Ingredienzien eines chinesischen Rezeptes tatsächlich Kräuter. Unter Kräuter versteht man gewöhnlich eine Substanz aus dem Pflanzenreich, doch ein Großteil der Zutaten, die ein chinesischer Arzt und TCM-Heilkundiger verschreibt, stammen aus dem Tier- und Mineralreich. Aus dem Pflanzenreich verwenden die Chinesen vorwiegend Wurzeln und Rinden, in geringeren Anteilen auch Früchte und Beeren, Zweige, Blätter und Blüten. Gewöhnlich enthält ein chinesiches Heilrezept zwischen vier und zwanzig Zutaten. Nur selten beschreibt der chinesische Kräuterspezialist ein bestimmtes Kraut oder eine andere Substanz in einer Art und Weise, wie es in der westlichen Kräuterheilkunde üblich ist. Diese Kräuterrezepte sind nicht nur eine Zusammenfassung aller Zutaten, die der Fachmann bei einer bestimmten Krankheit für hilfreich hält. Vielmehr werden die chinesischen Kräuter so zusammengestellt, daß sie sich in ihrer Wirkungsweise jeweils ergänzen und es zu einem Synergieeffekt kommt. Jede dieser Zutaten trägt für sich einen wichtigen Teil zur Gesundung des Patienten und zur Wiederherstellung seines Gleichgewichts bei.

Diese chinesischen Kräuterrezepte werden auch nicht einfach für eine bestimmte Krankheit standardmäßig verschrieben, sondern exakt entsprechend dem Disharmoniemuster des jeweiligen Patienten zusammengestellt. Es ist daher nicht ungewöhnlich, daß zwei Patienten mit der gleichen Krankheit zwei gänzlich verschiedene chinesische Kräuterrezepte zur Behandlung erhalten. Da die Herstellung und Bewahrung des körperlichen Gleichgewichts ein fortdauernder dynamischer Prozeß ist, werden diese chinesischen Kräuterrezepte auch alle paar Tage oder alle ein bis zwei Wochen neu angepaßt. Der Mensch befindet sich schließlich in einem steten Wandlungsprozeß, und die Chinesische Kräuterheilkunde behandelt ja Menschen und nicht nur Krankheiten. Aus diesem Grund kann die Anwendung Chinesischer Kräuterheilkunde nur dann zum Ziel führen, wenn der Patient bereit ist, mit seinem TCM-Spezialisten eng zusammenzuarbeiten.

Die chinesischen Kräuter können Kindern auf verschiedene Weise verabreicht werden. Es gibt sie als Tabletten, Pulver, in Alkohollösung oder auch als Tee. Inzwischen sind auch hier im Westen eine Reihe von chinesischen Kräuterfertigpräparaten erhältlich, die sich gut bei Kindern anwenden lassen. In Taiwan sitzen etliche Firmen, die qualitativ hochwertige chinesische Kräuterauszüge in Pulverform herstellen. Diese Kräuterauszüge in Pulverform sind zwar auch für Kinder geeignet, doch da sich das Pulver nicht so gut auflösen läßt, haben Kinder manchmal Probleme, sie zu schlucken. Alkohollösungen, die übrigens vorwiegend im Westen hergestellt werden, sind gerade für Kinder leicht zu dosieren und leicht zu verabreichen. Allerdings sollten Eltern, wenn sie alkoholische Lösungen verwenden, die Lösung kochen, damit sich der Alkohol verflüchtigt, da die meisten Kinder an Candidiasis (Befall mit Candida-Pilzen) leiden, was durch Alkohol verschlimmert wird. Man verdünnt dazu die Lösung mit etwas Wasser und kocht sie ein paar Minuten lang auf, bis sich der Alkohol verflüchtigt hat. Andererseits haben sie dann unter Umständen das Problem, daß das Kind jetzt eine größere Menge Flüssigkeit zu sich nehmen muß und das verweigert.

In der Chinesischen Medizin werden die Kräuter in der Regel als Tee oder Absud verabreicht. Auch in den Lehrbüchern der Chinesischen Kinderheilkunde wird vorwiegend zu einem Absud geraten. Einige TCM-praktizierende Ärzte sind der Ansicht, daß es sehr schwierig ist, einem Kleinkind oder Säugling einen bitteren Absud einzuflößen (und für uns Erwachsene schmecken so gut wie alle chinesischen Kräutertees recht bitter!). Ich habe jedoch die Erfahrung gemacht, daß Kinder nicht die gleiche Dosis benötigen wie ein Erwachsener. Das hat den Vorteil, daß man diese geringe Dosis mit der Pipette verabreichen kann. Viele TCM-kundige Ärzte oder Heilpraktiker reduzieren zwar bei Kindern die Dosis der zu verabreichenden Kräuter, lassen die Eltern dann aber den Tee oder Absud mit der gleichen Menge Wasser zubereiten wie bei einem Rezept für Erwachsene. In unserer Klinik hingegen schreiben wir auch auf die Rezepte für Kinder die gleichen Dosen wie für Erwachsene, aber wir verordnen den Kindern eine geringere Menge des daraus entstandenen Absuds. So instruieren wir zum Beispiel die Eltern, ein Tütchen dieser Kräuter in zwei Tassen Wasser zu kochen und zwar so lange, bis nur noch eine Tasse Flüssigkeit übrig bleibt. Diese eine Tasse Medizin wird dann aufbewahrt. Das Kind bekommt dann jeweils zwei Tropfen zwei- oder mehrmals am Tag, je nachdem, wie viel wir davon für das Kind angemessen halten. Auf diese Art und Weise hält ein Tütchen Kräuter kühl gelagert – zum Beispiel im Kühlschrank – fünf bis sieben Tage lang. (Wenn man die Flüssigkeit im Kühlschrank aufbewahrt, sollte man allerdings jede einzelne Dosis vor dem Verabreichen wieder mindestens auf Körpertemperatur erwärmen.)

Ich rate dringend dazu, Kindern diesen Kräutertee oder Absud nur mit einer Pipette einzuflößen, da das Kind dann in diesem Fall die Medizin nicht wegstoßen oder verschütten kann, was zum Beispiel leicht bei Verwendung einer Tasse oder eines Löffels passiert. Man schiebt die Pipette vorsichtig in den Mund, drückt auf den Balg – und schon sind die Kräuter im Schlund und rutschen die Speiseröhre hinunter! Schlimmstenfalls spuckt Ihr Säugling einen Teil der Flüssigkeit wieder aus oder ein paar Tropfen sickern aus den Mundwinkeln heraus, aber in diesem Fall genügt es, einfach etwas mehr als die vorgesehene Dosis zu verabreichen. Kinder haben einen anderen Geschmack als Erwachsene, und der Großteil meiner kleinen Patienten schluckt die chinesischen Kräuter auf diese Art ohne Probleme. Würden wir hingegen diesen Absud probieren, wären wir sehr schnell versucht, ihn wieder auszuspucken, aber die meisten Kinder schlucken das Gebräu erstaunlicherweise ohne zu klagen. Einige dieser chinesischen Kräuterrezepte kann man mit etwas Zucker versüßen, andere wiederum nicht. Im Zweifelsfall sollten Eltern ihren TCM-Spezialisten dazu befragen. Man sollte diese Kräuterauszüge in der Regel auch nicht mit Orangensaft oder anderen Obstsäften mischen, wobei es allerdings zu dieser Regel auch ein paar Ausnahmen gibt.

Wenn man diese chinesischen Kräuterpräparate im Krankheitsfall einsetzt, hört man gewöhnlich mit der Behandlung auf, wenn das Kind auf dem halben Wege zur Genesung ist. Das ist ein wichtiges Behandlungsprinzip in der Chinesischen Kinderheilkunde. Der Grund dafür ist, daß Kinder in der Regel sehr schnell auf diese Behandlung ansprechen. In China sagt man, das liegt daran, daß die Organe und Eingeweide bei Kindern noch sehr rein und sauber sind. Alles was Kinder gewöhnlich brauchen, um sich von diesen typischen, in diesem Buch beschriebenen Kinderkrankheiten zu erholen, ist neben gesunder Ernährung und richtiger Pflege ein „Schubs" in die richtige Richtung. Wenn man zulange mit chinesischen Heilkräutern behandelt, können auch die Kräuter als solches Probleme bereiten. Ich selbst habe diesen guten Ratschlag des öfteren vergessen und bin immer wieder mit der Nase darauf gestoßen worden. In diesem Fall geschieht nämlich folgendes: Die Hauptbeschwerde des Kindes wie zum Beispiel der Husten oder die Schnupfnase wird zwar besser, aber es tritt ein weiteres Problem auf. Wenn man jetzt als Arzt diese zweite Beschwerde behandelt, kehrt wahrscheinlich die erste wieder zurück, und so pendelt man dann immer zwischen zwei Problemen hin und her. Hätte man gleich die Chinesische Kräutermedizin zum richtigen Zeitpunkt abgesetzt, wären alle Beschwerden problemlos abgeheilt.

Massagetechniken für Kinder

Wie bereits erwähnt, kennt die Chinesische Medizin ein komplettes Massagesystem für Kinder, das sogenannte *Xiao Er Tui Na*. Ich habe zwar in China noch nie eine Akupunkturklinik für Kinder gesehen, doch jedes Krankenhaus, das über eine Massageabteilung verfügt, arbeitet auch mit Massagetechniken für Kinder. Diese Massagen sind eine ausgezeichnete Methode zur wirkungsvollen Behandlung der für Kleinkinder typischen Krankheiten. Die Massagetechniken für Kleinkinder sind sanft, sicher und haben vor allen Dingen keine Nebenwirkungen. Das Kind muß keine Tabletten schlucken oder einen bitteren Absud trinken und wird auch nicht mit Akupunkturnadeln gepiekst. Je kleiner und jünger das Kind ist, desto besser wirken diese Massagen. Am besten eignen sie sich zur Behandlung von Kindern bis zu etwa sechs Jahren.

Wie in der Chinesischen Kräuterheilkunde gibt es auch bei der Massage verschiedene Kombinationsmöglichkeiten, um die kleinen Patienten wieder ins Gleichgewicht zu bringen und ihr Disharmoniemuster zu lösen. Auch hier gilt wiederum: Zwei Patienten mit der gleichen Krankheit erhalten nicht notwendigerweise die gleiche Behandlung, und auch die Behandlung als solche ist nicht immer dieselbe. Eine Chinesische Massage für Kinder dauert in der Regel 20 bis 30 Minuten. Das Kind bleibt dabei gewöhnlich angezogen; sind die Räume jedoch gut geheizt (was bei uns im Westen dank der Zentralheizung normalerweise der Fall ist), kann der Therapeut das

Kind auch in der Windel oder in der Unterwäsche massieren. Im akuten Stadium sollte man die ersten Tage mindestens ein- bis zweimal täglich behandeln, bis sich die Symptome deutlich gebessert haben. Im chronischen Stadium hingegen sollte der kleine Patient jeden zweiten Tag eine Massagebehandlung erhalten. Das ist übrigens der einzige „Nachteil" dieser Chinesischen Massagetechniken für Kinder, sie müssen so häufig angewandt werden.

Sollten Sie also ihr Kind selbst mit chinesichen Massagetechniken behandeln wollen, rate ich Ihnen, einen professionellen TCM-Arzt aufzusuchen, der erstens das Krankheitsmuster ihres Kindes mit Hilfe der TCM-Diagnosetechniken feststellt, zweitens die für jede Sitzung notwendigen Massagetechniken auswählt und sie drittens den Eltern so genau erklärt, daß sie sie zuhause anwenden können. Wenn Sie zusätzlich noch über ein hilfreiches Buch über Chinesische Massagetechniken für Kinder verfügen, hat Ihre Behandlung unter Garantie Erfolg!

Akupunktur und Moxibustion

Bei der Akupunktur werden sehr dünne, sterile Nadeln aus rostfreiem Stahl an bestimmten Körperstellen des Patienten in die Haut gestochen. Diese Akupunkturpunkte sind seit mindestens 2.000 Jahren dafür bekannt, Chi und Blutfluß im Körper auf ganz bestimmte Art und Weise auszugleichen. Wenn man einmal die Akupunkturabteilung in einem Krankenhaus in China besucht, wird man feststellen, daß dort auch Kinder behandelt werden. Der Ehrlichkeit halber muß ich dazu jedoch sagen, daß den meisten Kindern die Vorstellung, mit einer Nadel gepiekst zu werden, nicht sonderlich zusagt. Akupunkturnadeln tun zwar nicht so weh wie eine Spritzennadel, weil sie wesentlich dünner sind und auch keine Flüssigkeit in den Körper eingespritzt wird, doch da viele Kinder bereits in zartem Alter ein paar unangenehme Spritzenerfahrungen bei ihrem Arzt hinter sich haben, fangen die meisten von ihnen beim Anblick der Akupunkturnadeln zu schreien an oder brechen in Tränen aus.

Doch auch in diesem Fall findet der Fachmann Lösungen. Einige Akupunkturfachleute behandeln zum Beispiel kleine Kinder nur am Rücken, wo sie die Einstiche nicht sehen können, oder sie stechen nur ganz kurz in die Haut ein, stimulieren die entsprechende Stelle einen Moment lang und ziehen die Nadel sofort wieder heraus. Das bedeutet, daß die Nadeln nicht wie bei Erwachsenen etwa 20 bis 30 Minuten in den Akupunkturpunkten verbleiben. Außerdem arbeiten die meisten Akupunkturexperten bei Kindern mit weniger Nadeln und Einstichen als bei Erwachsenen, denn eine Eigenschaft von Kindern ist es ja, Veränderungen (d. h. Krankheits- und Heilungsprozeße) schneller und leichter zu übertragen.

Ein guter Akupunkteur hat jedoch noch mehr Tricks auf Lager. Im Kapitel „Vorbeugende Maßnahmen" habe ich bereits die japanische Akupunkturtechnik *Shonishin* vorgestellt. Bei dieser Technik werden die Akupunkturpunkte auf der Haut mit Hilfe verschiedener kleiner Geräte stimuliert, die allesamt nicht in die Haut eindringen. Es handelt sich hierbei um verschiedene Arten von kleinen Bürsten, Spateln und Walzen. Diese ausgesprochen sanfte Methode der Stimulation von Akupunkturpunkten kann nicht nur präventiv, sondern auch im Krankheitsfalle angewandt werden. Obwohl ich selbst diese Technik nicht anwende, habe ich mir von Kollegen, die sie beherrschen und damit arbeiten, sagen lassen, daß Kinder in der Regel sehr gut darauf reagieren und die Behandlung auch genießen.

Eine weitere Technik besteht darin, auf den Akupunkturpunkten winzige Magneten anzubringen und die Punkte auf diese Art und Weise zu stimulieren. Die Magnettherapie ist bereits seit der Tang-Dynastie (618–907) ein wichtiger Bestandteil der Chinesischen Medizin. Ich selbst verwende diese Methode mit exzellenten Ergebnissen. Man sucht zunächst die zu behandelnden Akupunkturpunkte und klebt die kleinen Magneten dann mit Klebeband auf den Punkten fest, wobei entweder der Nord- oder der Südpol auf der Haut zu liegen kommt, je nachdem, ob man diesen Akupunkturpunkt tonisieren oder sedieren möchte. Die Magneten verbleiben dann entweder über Nacht oder bis zu mehreren Tagen auf der Haut. Andere Akupunkteure wiederum stimulieren die Akupunkturpunkte bei Kindern mit Hilfe verschiedener Arten ionisierter Kügelchen, Heilkräutern oder Cremes, die über die Punkte geklebt werden. Darüber hinaus gibt es auch die Laserakupunktur. Das ist eine relativ neue Technik – neu natürlich nur im Vergleich zu der über zweitausendjährigen Geschichte der Akupunktur. Bei der Laserakupunktur verwendet man einen Neonlaser zur Stimulierung der zu behandelnden Akupunkturpunkte. Diese Behandlungsmethode ist völlig schmerzlos und trotzdem sehr wirkungsvoll. Akupunkturpunkte können jedoch auch elektrisch – ohne das Einstechen von Nadeln – angeregt werden. In diesem Fall werden entweder stumpfe Metallstifte über die Akupunkturpunkte gehalten oder gummibeschichtete Elektroden darüber geklebt. Der Akupunkteur kann dann die Intensität des Stroms (den lediglich ein Satz Taschenlampenbatterien liefern) so regeln, daß das Kind fast oder gar nichts spürt. Oft ist die Behandlung nur als ganz feines Kitzeln oder Prickeln zu spüren. Diese Elektroakupunktur ist ebenfalls eine wirksame Behandlungsmethode für Kinder.

Wie bei den diversen Massagetechniken ist es auch bei der Akupunktur mit einer einzigen Behandlung nicht getan. Im akuten Krankheitszustand rät der TCM-Arzt vielleicht sogar zu zwei Behandlungen am ersten Tag. Verbessert sich dadurch der Zustand des Kindes, genügt die nächsten zwei bis drei Tage eine Behandlung pro Tag. Mit weiterer Verbesserung des Zustands finden die Behandlungen in längeren Abständen statt. Bei chronischen Krankheitszuständen behandelt man normalerweise hier im Westen etwa einmal die Woche, wobei die genaue Zahl der Behandlungen bei der gleichen Krankheit je nach Patient stark schwanken kann.

Moxibustion ist eine weitere Akupunkturtechnik. Dabei wird eine getrocknete Pflanze (Beifuß, lat. Folium Artemisiae Argyii, chin. *Ai Ye*) auf, über oder in der Nähe von verschiedenen Akupunkturpunkten am Körper verbrannt. Damit will man bestimmte Körperbereiche, die zu kalt sind, erwärmen oder bestimmten Organen im Körper Yang-Chi oder warmes Chi zuführen. Die Moxibustion wird gewöhnlich mit Hilfe einer Moxazigarre durchgeführt. Das ist eine große „Zigarre" aus Beifuß (Artemisia), die angezündet und über dem Aku-

87

punkturpunkt oder der Körperstelle, die Erwärmung bedarf, abgeglüht wird. Da durch die Erwärmung Chi- und Blutfluß angeregt werden, läßt sich die Moxibustion auch zu diesem Zweck einsetzen. Die Moxibustion wird gerne zur Behandlung von Mangelzuständen der Milz und der Nieren verwendet, und oft zeigen TCM-Ärzte den Eltern auch, wie sie diese Technik bei ihren Kindern zuhause anwenden können. Normalerweise erfolgt das Abbrennen dieser Pflanzenrolle täglich. Die gemoxte Körperstelle wird dabei leicht rot und fühlt sich warm an, ist jedoch nicht schmerzhaft, und es bilden sich auch – mit Ausnahme von seltenen Fällen, in denen dies vom behandelnden Therapeuten beabsichtigt ist – keine Brandblasen.

Weitere Behandlungsmethoden

Darüber hinaus kennt die Chinesische Medizin auch noch eine Reihe weiterer unterstützender Behandlungsmethoden. Dazu zählen Schröpfen, Schaben (im Chinesischen *Gua Sha* genannt), Aderlaß, verschiedene äußere Anwendungen wie Pflaster oder Salben bei Hautkrankheiten, die Anwendung bestimmter Heilkräuter auf speziellen Akupunkturpunkten oder Körperbereichen, Inhalation, Augen-, Ohren- und Nasentropfen usw. Im folgenden Kapitel, in dem die einzelnen Kinderkrankheiten ausführlich besprochen werden, sind auch einige dieser Behandlungsmethoden, die sich für den Hausgebrauch eignen, aufgeführt. Dies kann natürlich nicht in erschöpfendem Maße geschehen, so daß die einzelnen Therapeuten sicher noch ihre eigenen Anregungen und Behandlungsmethoden hinzufügen. Viele dieser Methoden waren früher auch bei uns in der westlichen Welt bekannt, gerieten jedoch mit der Zeit in Vergessenheit – nicht etwa weil sie nicht wirkten, sondern weil sie vom vermeintlichen Glanz der modernen westlichen Schulmedizin überschattet wurden. Jetzt, wo wir allmählich einen immer klareren Überblick über die Stärken und Schwächen unserer westlichen Schulmedizin erlangen, ist es an der Zeit, einige dieser Rezepte und Hilfsmittel aus der alten Hausapotheke wieder in unser kulturelles Repertoire einzugliedern.

Kapitel 7

Chinesische Medizin und die häufigsten Kinderkrankheiten

Die nachfolgend beschriebenen Kinderkrankheiten sind die Probleme, die bei Säuglingen und Kleinkindern am häufigsten anzutreffen sind. Wir haben sie daher in der Reihenfolge ihrer Häufigkeit, abhängig von Alter und Entwicklungsstand des Kindes, aufgeführt. Es sind auch die Krankheiten, die Eltern zuhause selbst mit natürlichen Hilfsmitteln behandeln können oder für die die Chinesische Medizin wirkungsvolle und sichere Behandlungsmöglichkeiten kennt.

Gelbsucht bei Neugeborenen

Viele Säuglinge leiden nach der Geburt an mehr oder weniger deutlich ausgeprägten Formen von Gelbsucht. Gelbsucht bedeutet eine Gelbfärbung von Haut und zum Teil auch der Augäpfel. Eine leichte Gelbsucht ist normalerweise unbedenklich und läßt sich leicht behandeln, indem man dem Baby Wasser zu trinken gibt und es in die Sonne legt. Tritt die Gelbsucht jedoch innerhalb von 24 Stunden nach der Geburt auf, ist sie zu dunkel in der Farbe oder hält sie zu lange an, fühlen sich westliche Ärzte zu einer Behandlung genötigt. Gewöhnlich wird der Säugling dazu im Krankenhaus unter sogenannte Bilirubinlampen gelegt und zur besseren Ausscheidung des Bilirubin häufig gefüttert.

Die Chinesische Medizin behandelt diesen Zustand mit Heilkräutern. Wünschen Eltern eine derartige Behandlung, müssen sie einen TCM-praktizierenden Arzt oder Heilpraktiker aufsuchen. Der Fachmann entscheidet dann, welches der beiden Hauptmuster für Gelbsucht der Säugling aufweist. Wenn das Baby einen kräftigen, aber hellen Gelbton von Haut und Augen zeigt, tiefgelben Urin ausscheidet, sich warm anfühlt und vielleicht auch noch an Verstopfung leidet, handelt es sich um eine Yang-Gelbsucht. Sind Augen und Haut jedoch stumpf gelb gefärbt, der Stuhlgang breiig, die Gliedmaßen kalt und wirkt das ganze Kind erschöpft, spricht man von einer Yin-Gelbsucht.

Bei der Yang-Gelbsucht versucht man, mit der Behandlung die Hitze zu entfernen und die Urinproduktion anzuregen, um die Feuchtigkeit auszuscheiden. Bei einer Yin-Gelbsucht hingegen zielen die Behandlungsmethoden darauf ab, die Milz zu stärken, das Yang zu erwärmen und gleichzeitig die Urinausscheidung zu fördern. Die chinesische Kräuterrezeptur für eine Yang-Gelbsucht lautet: *Yin Chen Hao Tang* („Artemisia Capillaris-Absud") oder etwas Ähnliches, je nach Erfahrung, Ausbildung und Vorliebe des TCM-Experten. Eine Yin-Gelbsucht wird gewöhnlich mit *Yin Chen Li Zhong Tang* („Artemisia Capillaris-Absud zur Korrektur der Mitte") oder Ähnlichem behandelt. Beide Kräutermischungen müssen zu einem Absud aufgekocht und mit der Pipette mehrmals täglich eingeträufelt werden. Normalerweise behandelt man diesen Zustand nicht mittels Akupunktur, doch ein sanftes Bauchreiben zur Anregung der Darmtätigkeit ist durchaus empfehlenswert.

Eine schwere Gelbsucht, die weder auf Sonne, Wasser, Bauchmassage noch auf chinesische Heilkräuter anspricht, muß nach den klassichen Regeln der westlichen Schulmedizin, möglichst mit Bluttransfusion, behandelt werden. Wird eine schwere Hyperbilirubinämie nicht behandelt, kann sie zu Gehirnschäden, Anfällen, ja sogar zum Tod führen. Aus diesem Grund sollte man bei Fällen schwerer Gelbsucht einen Arzt der westlichen Medizin konsultieren. Glücklicherweise sind schwere Anfälle von Gelbsucht eher die seltene Ausnahme der Regel.

Kolik

Koliken können schon ein paar Wochen bis ein paar Monate nach der Geburt auftreten und auch wochen-, ja monatelang andauern. Die Säuglinge leiden aufgrund von Gasansammlungen an starken Blähungen und den damit verbundenen Schmerzen. Die Eltern erkennen schnell, ob ihr Baby an derartigen Blähungsschmerzen leidet, weil das Kleine dabei schreit und die Beine an den Bauch hochzieht. Es will dabei auch gehalten und herumgetragen werden. Gehen die Gase schließlich als Winde ab, läßt das Schreien nach oder hört ganz auf. Gewöhnlich beginnen die Säuglinge mit dem

Schreien am Nachmittag und weinen oft die ganze Nacht durch. Die Chinesische Medizin führt Kolik daher auch unter der Rubrik „Schreien/Weinen bei Nacht" auf. Im Lehrbuch *Er Ke Zheng Zhi Xin Fa* („Grundlegende Methoden zur Musterdiagnose und Behandlung in der Kinderheilkunde") steht dazu:

> Die Krankheit tritt vorwiegend bei Neugeborenen auf. Am Tag sind sie ganz normal, doch in der Nacht beginnt die Unruhe und das Weinen. Jeden Abend um die gleiche Zeit weinen sie. Ist der Zustand schlimm, schreien oder weinen sie die ganze Nacht durch. Aus diesem Grund spricht man von „Nachtweinen".

Das ist eine recht zutreffende Beschreibung der Zeiten und der Hauptsymptome einer tpyischen Säuglingskolik.

Diese Darmkrämpfe können auch für die Eltern äußerst unangenehm sein. Das Baby schreit aus unbestimmten, nicht näher definierbaren Gründen. Es hat offensichtlich Schmerzen, doch die Eltern wissen nicht, warum. Da das Baby ständig schreit oder weint, nicht alleingelassen aber herumgetragen werden will, kostet das meist einen Elternteil, oft sogar beide, wertvolle Stunden Schlaf. Nach ein paar solchen durchgewachten Nächten sind die Eltern meist am Ende ihrer Nerven und machen sich gegenseitig Vorwürfe. Im verzweifelten Versuch, das Kleine zu beruhigen und abzulenken, stillen sie es oder geben ihm die Flasche, was den Zustand noch verschlimmert.

Wie viele andere Krankheiten bei Säuglingen und Kleinkindern ist Kolik ein reines *Verdauungsproblem*. Wenn der Säugling aufgrund seiner noch schwachen Milz und der noch nicht voll ausgebildeten Verdauungsfunktion seine Milch oder sonstige Nahrung nicht verdauen kann, sammelt diese sich im Magen an und führt zu einer Chi-Stagnation. Die Bauchdecke spannt sich, und im Darm sammeln sich Gase an.

Die Traditionelle Chinesische Medizin kennt vier Möglichkeiten, wie man Koliken vorbeugen und behandeln kann. Als erste und wichtigste Regel gilt: Nie den Säugling überfüttern. In einem dem vorhergehenden Kapitel haben wir bereits die Folgen des natürlichen Stillens (auf Verlangen), nämlich Nahrungsstau im Magen, eingehend besprochen. Eine Überfütterung verstopft die Verdauungsmechanismen und führt so zur Anhäufung von trüben Material und trüben Chi im Magen-Darmtrakt. Eine Essensregelung mit festen Stillzeiten, um die Verdauung des Kindes nicht zu überfordern und die noch schwache Milz zu beschädigen, ist die wichtigste Maßnahme zur Vorbeugung und Behandlung. Daß laut TCM nach einem festen Zeitplan und nicht auf Verlangen des Säuglings gestillt werden soll, geht klar und unmißverständlich auch aus folgendem Zitat aus der Englisch-Chinesischen Enzyklopädie der Angewandten Traditionellen Chinesischen Medizin: Kinderheilkunde (*The English-Chinese Encyclopedia of Practical Traditional Chinese Medicine: Paediatrics*) zum Thema Vermeidung von Dyspepsie und Verdauungsproblemen wie Kolik hervor: „Regelmäßiges Füttern und Stillen (zu festen Zeiten und in festen Mengen) sind zu fördern".

Zweitens sollte man den Bauch des Kindes täglich – wie in Kapitel 4 beschrieben – massieren. Das Bauchreiben von rechts nach links folgt dem Verlauf des Dickdarms und hilft damit, die Nahrung durch den Verdauungstrakt zu befördern. Diese Massage kann man nicht nur zur Vorbeugung täglich einsetzen, sondern auch im Falle des Auftretens von kolikartigen Beschwerden. Im Falle einer Kolik ist davon auszugehen, daß es sich um einen Nahrungsstau im Magen-Darmtrakt handelt. Ob man jetzt aber in kleinen Rechts- oder Linkskreisen massiert, hängt davon ab, ob sich das Kind heiß oder kalt anfühlt. Ist es heiß, wird das Gesicht beim Schreien rot, Hände und Füße fühlen sich heiß an, und das Weinen oder Schreien ist meist sehr laut und energisch. Ist der Säugling hingegen kalt, zeigt er eine blasse Gesichtsfarbe, eine blaue Vene am Nasenrücken zwischen den Augen, Hände und Füße fühlen sich kalt an, und das Schreien wirkt nicht sonderlich kraftvoll. Leidet das Kind an einer heißen Kolik, sollten die kleinen Kreise in der gleichen Richtung wie der große Kreis erfolgen; handelt es sich hingegen um eine kalte Kolik, bei der die Milz schwach tendiert und gestärkt werden muß, damit sie die Stagnation auflösen kann, sollten die kleinen Kreise in der Gegenrichtung zum großen Kreis verlaufen.

Drittens sollte die Mutter blähungsfördernde Nahrungsmittel, die eine Kolik verschlimmern können, vermeiden. Nach Valerie Appleton, einer amerikanischen Heilpraktikerin und erfahrenen Hebamme, sind das die gesamte Kohlfamilie (Weißkohl, Rotkohl, Brokkoli, Blumenkohl, Rosenkohl usw.), Tomaten, Zitrusfrüchte, Knoblauch, Zwiebeln, Schokolade und Kaffee. Einige Quellen fügen dieser Liste noch Hülsenfrüchte wie Bohnen etc., Rhabarber, Pfirsiche und Melonen hinzu.

Viertens: Falls die Kolik nicht auf diese einfachen Hausmittel anschlägt, kann man sie mit chinesischen Heilkräutern behandeln. In diesem Fall stellt ein TCM-erfahrener Arzt oder Heilpraktiker fest, ob das Baby eher heiß oder kalt ist und verschreibt ein chinesisches Kräuterrezept, das entweder die Gasansammlung auflöst und die Hitze beseitigt (wenn das Baby zu heiß ist) oder die Gasansammlung auflöst und die schwache Milz stärkt (wenn das Baby kalt ist). Ist der Säugling weder zu heiß noch zu kalt, verwendet man eine Mischung, die lediglich die Gasansammlung auflöst und den Magen wieder beruhigt. Ein Rezept namens *Xiao Ru Wan* („Milchverteilungstabletten") wird zum Beispiel gerne bei einer einfachen Stagnation (Nahrungsstau) ohne Hitze oder Kälte eingesetzt, *Bao He Wan* („Tabletten zum Schutz der Harmonie") sind gut bei Stagnation mit Hitze, und eine Abart des *Xiao Jian Zhong Tang* („Kleiner Absud zur Kräftigung der Mitte") zusammen mit *Li Zhong Tang* („Absud zur Korrektur der Mitte") wird gewöhnlich bei Stagnation mit Kälte verwendet.

Bei einer durch Nahrungsstau bedingten Kolik nimmt man dann 60–90 gr Mirabilitum (*Mang Xiao*), erhältlich in einer chinesischen Apotheke oder bei einem TCM-Experten, und wickelt sie in einen Baumwollsack, der dann über dem Nabel festgebunden wird. Bei Nahrungsstau mit Hitze macht man hingegen einen Tee aus Petersilie, Hagedorn (Fructus Crataegi), Daikon-Wurzel und Orangenschalen. Ist die Kolik nun jedoch auf Nahrungsstau und innere Kälte aufgrund eines Milzmangels zurückzuführen, nimmt man drei Lauchstengel, fünf Scheiben frischen Ingwer und 60–90 gr Weizenkleie, erhitzt die Mischung in der Pfanne oder im Wok und wickelt sie dann in ein Baumwolltuch. Mit der noch warmen Mischung fährt man anschließend – wie mit einem Bügeleisen – sacht über den Bauch des Babys.

Ich habe die Erfahrung gemacht, daß die meisten Säuglinge im Westen bei Kolik an einem Nahrungsstau in Verbindung mit Hitze leiden. Eine Kombination aus Stagnation, Hitze und Milzschwäche ist jedoch auch anzutreffen. In diesem Fall kann man ebenfalls die drei oben beschriebenen Methoden anwenden, sollte aber zusätzlich einen Fachmann aufsuchen, der ein entsprechendes Kräuterrezept verschreibt oder zusammenstellt, das besser auf dieses doch komplexere Muster paßt. Zur Kolik heißt es ferner: „Man muß den Eltern klarmachen, daß ein an Kolik leidender Säugling im Grunde gesund ist, daß dieses Verhalten nach ein paar Wochen von selbst aufhört und daß zuviel Schreien oder Weinen nicht ungesund ist." Das ist zwar einerseits ein gut gemeinter Ratschlag, doch die Chinesische Medizin sieht Kolik als ersten Schritt einer möglichen Reihe von Gesundheitsproblemen, die die Gesamtkonstitution und die Anlagen für das gesamte Leben beeinflussen können. Behandelt man eine Kolik von Anfang an gründlich und setzt chinesische Heilkräuter nicht nur im akuten Fall, sondern auch schon vorbeugend ein, kann dies das Auftreten späterer Gesundheitsprobleme, die sich aufgrund von Stagnation und einer Milzschwäche, die wiederum zu Feuchtigkeit, Schleimbildung und pathologischer Hitze führt, vermeiden.

Erbrechen von Milch

Dabei erbricht der Säugling während oder nach jeder Mahlzeit einen Teil der Milch, die er zu sich genommen hat. Nach der Chinesischen Medizinlehre hat dies mit der von Natur aus noch schwachen Milz- und Magenfunktion zu tun. Ebenso wie Kolik in verschiedene Muster unterteilt wird, unterscheidet die Chinesische Kinderheilkunde auch bei Erbrechen nach verschiedenen Mustern, nämlich Nahrungsstau (Stagnation), Milzmangelkälte, Milz- und Magenhitze, Eindringen der Leber in den Magen, Yin-Mangel des Magens sowie verschiedene Angstmuster. Diese Muster zeigen sich nicht bei allen

95

Kindern der gleichen Altersklasse. Bei Kleinkindern sind die beiden häufigsten Muster zum einen Stagnation und zum anderen Kältezustand der Milz aufgrund von Chimangel, und diese beiden Typen lassen sich leicht voneinander unterscheiden.

Bei einem Nahrungsstau (Stagnation) erbricht der Säugling eine säuerlich riechende Masse aus geronnener Milch, die im Magen unverdaut liegen geblieben ist. In der chinesischen Medizinliteratur wird dieser Vorgang gerne als „Erbrechen von unverdauter Nahrung, die am Vorabend gegessen wurde" bezeichnet. Zusätzlich leidet das Baby dann meist noch an Blähungen, kolikartigen Krämpfen, Spannungsgefühl im Bauch, und auch der Atem riecht nicht frisch und angenehm wie bei einem gesunden Kind, sondern säuerlich und abgestanden.

Bei einem Kältezustand aufgrund von Milzmangel hingegen erbricht der Säugling die Milch unmittelbar nach dem Stillen oder während des Stillvorgangs. Das Erbrochene sieht aus wie Milch und hat auch keinen üblen Geruch. Hände und Füße sind gewöhnlich kalt, das Gesicht blaß, und meist sieht man am Nasenrücken zwischen den Augen eine dünne blaue Vene. Das Erbrechen geschieht auch ohne Kraftaufwand. Die Nahrung quillt wieder nach oben und läuft aus dem Mund heraus. Das zeigt, daß die Milz des Säuglings noch zu schwach und zu kalt ist, um Milch oder andere Nahrung aufnehmen und verdauen zu können. Interessant ist in diesem Zusammenhang, daß selbst in der westlichen Standardliteratur Aussagen wie „Übermäßiger Würgereiz und Erbrechen können auf Überfütterung zurückzuführen sein" zu finden sind.

Beide Erbrechensmuster sind leicht zu behandeln. Bauchreiben ist in diesem Fall besonders gut. Man muß lediglich darauf achten, daß man bei Nahrungstau die kleinen Kreise in der gleichen Richtung wie die großen Kreise macht und bei Milzmangel in der entgegengesetzten Richtung zum großen Kreis. Bei beiden Typen kann man zusätzlich ein paarmal längs über die Bauchmitte massieren. Dabei beginnt man direkt unterhalb der Rippenbögen und reibt bis zum Bauchnabel. Die Massagebewegung sollte jedoch nur in einer Richtung erfolgen, nämlich nach unten. Läßt sich das Erbrechen auf einen Kältezustand aufgrund von Milzmangel zurückführen, kann man auch noch drei- bis fünfmal die Rückenmassage entlang der Wirbelsäule einsetzen, um das Yang des Babys allgemein zu stärken.

Bei Erbrechen aufgrund von Stagnation im Magen, sollte die Mutter das Kind weniger oft stillen oder zumindest eine geringere Menge auf einmal verabreichen. Auf diese Weise kann der Körper des Babys leichter mit der Überfülle an Nahrung zurechtkommen, die er bis dahin nicht verdauen konnte. Ein einfaches Hausmittel besteht aus einem Tee, der aus 25 gr frischem geriebenen Ingwer und 50 gr getrockneten Orangenschalen zubereitet wird. Dieser Tee wird dem Säugling dann vor dem Stillen oder anstelle der Muttermilch mit der Flasche eingeflößt.

Im Falle eines Kältezustands aufgrund von Milzmangel muß man dem Baby oder Kleinkind häufig kleine, leicht verdaubare Portionen verabreichen. Dabei darf man das Prinzip des „Breis auf Körpertemperatur" nicht außer Acht lassen. Das Kind sollte in diesem Fall weder etwas Hartes bekommen, was schwer verdaulich ist, noch irgendeine gekühlte oder rohe Nahrung. Alle Nahrung sollte gekocht und auf etwa Körpertemperatur erwärmt verabreicht werden. Zusätzlich kann man die Milz noch etwas mit wärmenden Gewürzen wie ein wenig Ingwerpulver, etwas Kardamom oder gemahlenen Zimt stärken und erwärmen. Ein einfaches Hausmittel für diesen Erbrechenstyp ist ein Tee, den man aus 5 schwarzen Datteln und ein paar ganzen Nelken kocht (Nelken zerdrücken und mit den Datteln in Wasser kochen). Ein weiteres einfaches Hausrezept ist ein Tee aus 4 gr frischem Ingwer und 8 gr getrockneten Orangenschalen (dieses letzere Rezept ist auch ausgezeichnet bei Husten mit übermäßig viel feuchtem Schleim).

Darüber hinaus kennt die Chinesische Medizin für diese beiden Erbrechenstypen auch verschiedene Kräuterrezepturen. Eine leicht abgeänderte Variante der *Bao He Wan* („Tabletten zum Schutz der Harmonie") wird generell bei Erbrechen aufgrund von Stagnation eingesetzt, während eine Abart des *Li Zhong Tang* („Absud zur Korrektur der Mitte") das Standardrezept bei Erbrechen aufgrund von Milzmangelkälte ist.

Kleinkinder erbrechen manchmal aber auch aus Angst oder Furcht. In der Chinesischen Kinderheilkunde heißt es dazu „Da ihr Chi von einem ängstlichem Geist beeinflußt ist, regen sie sich emotional leicht auf." Kinder mit diesem Muster sind von ihrer Konstitution her hypernervös und leicht zu erschrecken. Früher sprachen chinesische Ärzte auch häufig von den negativen Auswirkungen von Furcht, die Kinder im Mutterleib erlebt haben. Ich persönlich konnte jedoch bisher derartige Fälle von In-utero-Traumata bei meinen kleinen Patienten mit diesen Mustern nicht nachvollziehen.

Der klinische Ausdruck dieses Musters ist ein Erbrechen von klaren Flüssigkeiten, eine blasse, blaugrünliche Gesichtsfarbe, Unruhe, plötzliche Zuckungen im Schlaf, Schlafstörungen und häufiges Weinen oder Schreien aufgrund von undefinierbarer Angst. Diese Form des kindlichen Erbrechens sollte nach Möglichkeit mit chinesischen Heilkräutern, Chinesischen Massagetechniken oder akupunkturähnlichen Stimulierungen behandelt werden. Zweck der Behandlung ist es, die Leber auszugleichen, Winde abzuführen, den übermäßigen Chi-Auftrieb wieder nach unten zu lenken und das Erbrechen stoppen. Die Nahrung sollte auf eine Stärkung der Milz ausgerichtet sein, und von den Eltern benötigt das Kind viel emotionale Zuwendung in Form von Geborgenheit, Aufmerksamkeit und Liebe. Vielleicht bringt das Kind aus früheren Leben traumatische Erfahrungen mit und gerade dann können die jetzigen Eltern dem Kind über ihre Liebe und ihre Zuwendung klarmachen, daß es in seiner neuen Familie geliebt und geborgen ist.

Erbrechen, das auf eine Überhitzung von Milz und Magen zurückzuführen ist, trifft man häufiger bei Kleinkindern als bei Säuglingen an. Gewöhnlich essen Kinder in diesem Alter feste Nahrung und haben eine Vorliebe für fette Speisen wie Chips, Pommes Frites, Nutella, Hot Dogs, Hamburger etc. entwickelt. Diese fetten, frittierten Speisen sind nach der Chinesischen Ernährungslehre wärmeerzeugend, aber auch schwer verdaulich. Wenn das Kind zuviel von diesen Speisen zu sich nimmt, bleiben sie im Magen liegen und vergären zu einer Art feuchten Hitze. Das Kind hat dann unter Umständen auch schlechten Atem, wobei wir aber wissen, daß es sich hierbei um ein Hitze-Muster handelt, da das Erbrechen mit mehr Kraft erfolgt und manchmal regelrecht in einem Strahl hervorschießt. Normalerweise hat das Kind eine rote Gesichtsfarbe; Füße und Hände sind warm. Der Urin ist dunkel; der Stuhl entweder verstopft und hart oder breiig, explosiv, übelriechend und am After brennend. Auch das Erbrochene ist übelriechend.

Der erste Schritt zur Behandlung dieser „brodelnden" Milz- und Magenhitze ist das Identifizieren der krankmachenden Lebensmittel, die dann natürlich vom Speiseplan des Kindes gestrichen werden müssen. Meiner Erfahrung nach essen Kinder, die dieses Muster aufweisen, jede Menge Zucker, der nach der Chinesischen Medizin ausgesprochen feuchtigkeitsbildend wirkt. Wenn Sie die schädlichen Lebensmittel eliminiert haben, sollten Sie Ihrem Kind ein paar Tage lang eine einfache, leicht verdauliche Diät zu essen geben. Das bedeutet, vegetarisches Essen bestehend aus Reisbrei und gedämpften, zerdrückten Gemüse ohne Fett oder scharfe Gewürze. Unterstützend dazu können Sie auch wieder zu Bauchmassagen greifen, wobei die kleinen Kreisbewegungen in der gleichen Richtung wie der große Kreis erfolgen sollen. Reiben Sie dabei auch über die Mittellinie von den Rippen bis zum Nabel herunter. Die Chinesen behandeln diesen Typus des Erbrechens normalerweise mit einer Variante des *Huo Po Huang Lian Tang* („Absud aus Agastaches, Magnolia und Coptis"). Die darin enthaltenen Zutaten klären die Hitze in Magen und Milz, lösen die Feuchtigkeit auf und leiten das anormal aufsteigende Chi, das sich als Erbrechen manifestiert, wieder nach unten. Ein einfaches Hausmittel ist ein Tee, der aus etwas Umeboshi-Paste (im Naturkostladen erhältlich), geriebenen Ingwer und etwas Kudzu-Wurzel (ebenfalls im Naturkostladen erhältlich) besteht.

Erbrechen, das auf ein „Eindringen" der Leber in den Magen zurückzuführen ist, tritt ebenfalls häufig bei älteren Kleinkindern auf. In vielerlei Hinsicht ähnelt das Grundmuster dem des Erbrechens aus Angst, nur daß es in diesem Fall ältere Kinder befällt. Kinder, die ein derartiges Muster aufweisen, sind gewöhnlich aufgedreht und nervös. Aus diesem Grund überfällt sie auch häufig Wut, und dieser

Zorn äußert sich dann entweder in Ausbrüchen oder in Unterdrük-kung. Wut ist die Emotion, die mit der Leber in Verbindung steht. Solange das Chi des Kindes nicht blockiert ist, kann das Chi der Leber sanft und ungehindert fließen. Wird dieses Chi jedoch zurück-gehalten oder blockiert, wird die Leber in ihrer Funktion behindert. Das bedeutet wiederum, daß das Chi der Leber stagniert und sich anstaut. Dieses aufgestaute Chi muß jedoch irgendwohin und strömt schließlich in der Regel in den Magen und/oder in die Milz. Und weil das Leber-Chi in den Magen eindringt und das Magen-Chi an-greift, fließt das Magen-Chi nach oben und manifestiert sich als Er-brechen.

Das deutlichste Anzeichen für dieses Erbrechensmuster ist ein Erbrechen nach einer emotionalen Aufregung. Das Kind erscheint vielleicht wütend oder zurückgezogen. Meist hat es beim Übergeben ein rotes Gesicht und spuckt zum größten Teil saures Wasser oder Galle aus. Als ersten Schritt der Behandlung muß man in diesem Fall die Ursache ausfindig machen und das Übel an der Wurzel hei-len. Das bedeutet jedoch nicht, daß die Eltern jeder Laune des Kin-des nachgeben sollen, sondern vielmehr, daß sie ihrem Kind beibrin-gen, wie es besser mit Wut und Frust umgehen kann. Ermutigen Sie es, Dinge auszusprechen, die ihm im wahrsten Sinne des Wortes auf der Leber liegen. Einem Kind gefällt eine bestimmte Situation viel-leicht nicht, aber es muß lernen, daß nicht immer alles gleich eine Katastrophe ist.

Auch mit Massagen kann man in diesem Fall Abhilfe schaffen. Hier sind besonders Kopf und Hals wichtig. Legen Sie dazu Ihre zwei Daumen auf die Stirn des Kindes und ziehen Sie sie sanft quer über die Stirn bis hin zu den Schläfen. Die Schläfen werden mit kreisenden Bewegungen massiert, der Nackenbereich sanft gekne-tet. Das sind die typischen Stellen, an denen auch Erwachsene Streß und Anspannung ablagern. Diese Massagetechniken sollen nach der Chinesischen Medizinlehre das Gemüt des Kindes beruhigen, was in diesem speziellen Fall besonders wichtig ist. Anschließend können Sie noch den Bauch massieren (die kleinen Kreise machen Sie hier in der gleichen Richtung wie die großen) und die Mittellinie zum Nabel herunterstreichen.

Ein ausgezeichnetes chinesisches Kräuterrezept für diesen Typ Erbrechen ist *Jie Gan Jian* („Absud zum Lösen der Leber"). Die darin enthaltenen Kräuter wirken ausgleichend auf die Leber, regulieren den anormalen Chi-Auftrieb, harmonisieren den Chi-Fluß und bremsen das Erbrechen. Auch mit Hilfe der Shonishin-Akupunkturtechnik läßt sich das Problem gut behandeln.

Erbrechen aufgrund eines Yin-Mangels des Magens liegt dann vor, wenn ein Kind so häufig oder über so einen langen Zeitraum erbrochen hat, daß es an trockenem Würgereiz leidet. Es handelt sich hierbei also bereits um einen chronischen Zustand und nicht um ein akutes oder episodisch auftretendes Leiden. Die große Stärke der Chinesischen Medizin besteht darin, energetische Mangelzustände im Körper festzustellen und sie mit entsprechenden Heilkräutern zu beseitigen. Daher läßt sich diese Form des Brechreizes auch am besten mit chinesischen Heilkräutern behandeln. Das am häufigsten verwendete Rezept ist eine abgewandelte Form des *Sha Shen Mai Dong Tang* („Glehnia- und Ophiopogon-Absud"), dessen Inhaltsstoffe das Magen-Yin nähren, zur Bildung von Körperflüssigkeiten beitragen und das Erbrechen stoppen. Ein Brei aus gekochten Äpfeln oder Birnen kann die Heilung in diesem Prozeß ebenfalls unterstützen.

Sind die Brechanfälle jedoch so heftig, daß das Erbrochene in einem Strahl aus dem Mund des Kindes herausschießt, ist das ein Anzeichen, das auf einen ernsteren Zustand hindeutet, so etwa auf eine Magenausgangsstenose oder einen gastroösophagealen Reflux. Ich persönlich habe in meiner Praxis einige Kleinkinder mit explosionsartigem Erbrechen behandelt, deren Muster feuchte Hitze war, die in Magen und Milz brodelte und auf zu viele fetthaltige Speisen zurückzuführen war. Wenn sich dieses explosionsartige Erbrechen jedoch nicht relativ schnell mit Ernährungsumstellung und chinesischen Heilkräutermischungen beruhigen läßt, sollte man auf alle Fälle den Kinderarzt aufsuchen.

Durchfall

Durchfall läßt sich bei Kindern und Säuglingen in vier Hauptmuster unterteilen. Das erste ist Durchfall aufgrund von Nahrungsstau, was sich wiederum auf Überfütterung oder „Überfressen" zurückführen läßt. Das Essen wird nicht verdaut, sondern sammelt sich im Magen-Darmtrakt an und gärt. Die Symptome sind Übelkeit, schlechter Atem, Spannungsgefühl im Bauch, Schmerzen (und damit verbundenes Weinen oder Schreien) beim Stuhlgang, die nach der Entleerung nachlassen, stinkender oder säuerlich riechender Stuhl, unverdaute Nahrungsbestandteile im Stuhl, fünf- bis sechsmal, ja sogar zehnmal und mehr am Tag Durchfall, ein dicker, schleimiger Belag auf der Zunge, der leicht gelblich gefärbt sein kann und ein unregelmäßiger Puls. Bei Kleinkindern und Kindern im Krabbelalter sind die wichtigsten Anzeichen schlechter Atem, faul riechender Stuhl mit unverdauten Nahrungsbrocken und eine verdickte, violette Vene unten am Zeigefinger.

Das Behandlungsprinzip besteht im Auflösen des Nahrungsstaus. Ein TCM-erfahrener Arzt oder Heilpraktiker wird vermutlich eine ähnliche Kräutermischung wie das *Bao He Wan* („Tabletten zum Schutz der Harmonie") in verschiedenen Varianten verschreiben. Die Nahrungszufuhr muß reduziert werden; warmes, sauberes Wasser ist jedoch hilfreich.

Auch die Chinesische Bauchmassage ist in diesem Fall sehr nützlich, wobei man hier jedoch die kleinen Kreise im Uhrzeigersinn massieren soll, um den Darm beim Ausscheiden der gestauten Nahrungsreste zu unterstützen.

Das zweite Durchfallmuster bei Kindern ist die sogenannte Windkälte. Es handelt sich hierbei um ein Muster, das durch äußere Einflüsse, nämlich eine Erkältung bedingt ist. Typische Symptome sind wässriger, blasser und nur leicht riechender Stuhl mit starker Schaumbildung. Das Kind verspürt Schmerzen im Bauch, und man hört Darmgeräusche wie Darmkollern. Begleiterscheinungen sind Fieber, eine verstopfte oder triefende Nase, leichter Husten, Appetitmangel, kein erhöhter Durst, ein schleimiger, weißer Zungenbe-

lag und ein schwacher, absackender Puls. Die Behandlung zielt darauf ab, Winde und Kälte zu beseitigen und die Feuchtigkeit umzuwandeln. Ein gut wirkendes Kräuterrezept für diesen Durchfalltyp ist *Huo Xiang Zheng Qi San* („Agastaches-Pulver zur Korrektur des Chi") mit entsprechenden Abänderungen. In meinem Patientenstamm taucht diese Form des Durchfalls jedoch nicht häufig auf.

Das dritte Durchfallmuster ist feuchte Hitze. Die Symptome sind Fieber, Durst, Bauchschmerzen, bis zu 20 gelblich gefärbte und fau-

103

lig riechende Stuhlgänge/Durchfälle pro Tag, Rötung, Hitze und ein Brennen am After, ein schleimiger, gelber Zungenbelag und ein schneller, unregelmäßiger Puls. In diesem Fall riecht zwar der Stuhl deutlich; der Atem ist jedoch nicht auffallend schlecht. Die Farbe des Stuhls und die Hautreizung in der Afterregion sind beides typische Anzeichen für feuchte Hitze. Bei der Behandlung versucht man, Hitze und Feuchtigkeit abzuleiten. Ein häufig verschriebenes Kräuterrezept für diesen Durchfalltyp mit feuchter Hitze ist *Ge Gen Qin Lian Tang* („Absud aus Pueraria, Scutellaria und Coptis"), wobei die Mischung je nach Einzelfall ergänzt oder reduziert wird. Wichtig ist vor allen Dingen, daß man bei diesem Durchfalltyp alle fetten und scharf gewürzten Speisen vermeidet. Eine Bauchmassage wirkt hier nicht so gut, die chinesischen Heilkräuter schlagen jedoch sehr gut an.

Das vierte Muster bei kindlichem Durchfall ist ein Milzmangel. Die Milz ist in diesem Fall zu schwach, um die zugeführten Speisen und Flüssigkeiten ordentlich zu verdauen. Auf diese Weise werden die reinen und unreinen Nahrungsanteile nicht geschieden, sondern unverdaut weitergeleitet. Die Symptome für diesen Typ sind wie folgt: chronischer Durchfall oder Durchfall abwechselnd mit Erbrechen, loser, wässriger Stuhl, unverdaute Nahrungsreste oder Milch im Stuhl, Durchfall nach dem Essen und mehrmals am Tag, schlechter Appetit, Müdigkeit, Kraftlosigkeit, eine blasse, manchmal leicht gelbliche Gesichtsfarbe und blaue Lippen, eine blaue Vene an der Nasenwurzel, kalte Glieder, eine blasse Zunge mit einem dünnen, schleimigen Belag und ein tiefliegender, kraftloser Puls. Die Behandlungsprinzipien sind eine Kräftigung der Milz und die Erwärmung der Körpermitte. *Qi Wie Bai Zhu San* („Atractylodes-Pulver in sieben Geschmacksrichtungen") in den entsprechenden Variationen wäre eine typische Heilkräutermischung, die die Chinesische Medizin für diesen Fall vorsieht.

Bei diesem letzten Durchfalltyp ist eine richtige Ernährung von grundlegender Bedeutung. Das bedeutet, gekochte, warme Speisen, keine tiefgefrorenen, kühlschrankkalten Nahrungsmittel oder Getränke, kein Eis, keine (oder nur in geringem Maße) Rohkost, einfache Lebensmittel und kaum oder gar kein Zucker. Die Rollmassage entlang der Wirbelsäule, mehrmals am Tag durchgeführt, kann die Milz und allgemein das gesamte Chi stärken. Manche Akupunktur- oder TCM-erfahrene Ärzte und Heilpraktiker zeigen den Eltern vielleicht, wie sie bestimmte Stellen moxen können. Man kann zur Anregung der Verdauung zum Beispiel einmal am Tag eine Scheibe Ingwer über den Nabel legen und dann Artemisia Argyium oder Moxablätter darüber abbrennen. Hilfreich sind auch ein paar erwärmende, milzstärkende Gewürze wie Kardamom, Fenchel, Ingwerpulver, etwas Zimt, ein paar Nelken oder etwas Muskatnuß, die ins Essen gegeben werden. Die Chinesische Medizin empfiehlt ferner einen Brei aus mehreren einfachen, milzstärkenden chinesischen Heilkräutern, die man zerreibt und dann zu einem Brei kocht. Dazu zählen Radix Dioscoreae Oppositae (*Shan Yao*), Sclerotium Poriae Cocos (*Fu Ling*), Semen Coicis Lachryma-jobi (*Yi Yi Ren*) und Semen Dolichoris Lablab (*Bai Bian Dou*).

Ein weiteres Hilfsmittel bei diesem Durchfalltyp sind mehrere zerstoßene Knoblauchzehen, die in ein sauberes, dünnes Baumwolltuch gewickelt und auf den Nabel gelegt werden. Auch zermahlene Nelken mit Zimtrinde gemischt helfen gut, wenn sie in den Nabel gelegt und mit einem Pflaster gehalten werden. Bei Durchfall allgemein und insbesondere bei diesem Durchfalltyp sollte man Kinder zudem keinen Honig essen lassen.

Nach der westlichen Schulmedizin kann hartnäckiger Durchfall bei Kleinkindern an einer allergische Reaktion auf Weizengluten, unzureichende Pankreas-Enzyme, eine schlechte Zuckerverwertung (Malabsorbtion) und Allergien auf bestimmte Nahrungsmittel liegen. Die Bauchspeicheldrüsen-Enzyme sind der chinesischen Vostellung der Milzfunktion sehr ähnlich; einige westliche Autoren schreiben sogar, daß dieser Begriff aus der Chinesischen Medizin nicht allein mit „Milz", sondern mit „Milz-Bauchspeicheldrüse" übersetzt werden sollte. Die einfache Ernährung, die die Chinesische Medizin für Kleinkinder vorsieht, ist vorwiegend frei von Weizen. Eine schlechte Zuckerverwertung und Lebensmittelallergien reagieren ebenfalls auf eine einfache, leicht verdauliche Ernährung und chinesische Heilkräuterrezepturen. Kommt es jedoch zu plötzlichem Erbrechen, blutigem Stuhl, Fieber, Appetitmangel und Teilnahmelosigkeit, läßt dies auf Ruhr oder infektiösen Durchfall schließen. Auch das kann mit chinesischen Kräutern behandelt werden. Sollte die Chinesische Medizin jedoch nicht umgehend wirken, ist dringend anzuraten, das Kind nach westlicher Schulmedizin zu behandeln.

Windeldermatitis

Mit dem Begriff Windeldermatitis bezeichnet man ein Wundreiben und Rissigwerden der Haut aufgrund nasser Windeln. Die Chinesen sagen dazu *yan kao chuang*, „vernachlässigte wunde Stellen am Steißbein", ein Symptom, das in der chinesischen Medizinliteratur bereits 610 v. Chr. beschrieben wurde. Grundsätzlich hat dieser Zustand als Muster feuchte Hitze. Man spricht hier von einem Hitzemuster, weil die Haut rötlich gefärbt ist und sich heiß anfühlt. Feucht deshalb, weil sich kleine Wasserblasen oder naß wirkende wunde Stellen bilden können, die durch eine ständige Feuchtigkeitsaussetzung, nämlich in der durchnäßten Windel, noch verschlimmert werden. Die Chinesische Medizin behandelt Windeldermatitis mit verschiedenen äußeren Anwendungen.

Wenn Ihr Säugling an Windeldermatitis leidet, müssen Sie die Windeln wahrscheinlich häufiger wechseln. Sobald einmal Ausschlag aufgetreten ist, sollte man die Windel ganz weglassen, damit die Dermatitis austrocknen kann. Zusätzlich gibt es eine Reihe von Pudern, die man auf die betroffenen Stellen streuen kann, zum Beispiel Terra Flava Usta (*Fu Long Gan*), ein feiner Puder, der in China aus der Innenseite von Tonöfen gewonnen wird. Auch eine Mischung aus Talkumpuder (*Hua Shi*) und Pulvis Indigonis (*Qing Dai*) wirkt gut. Diese beiden Bestandteile werden im Verhältnis von 5 Teilen Talkumpuder und 1 Teil Indigo gemischt. Indigo ist eine Heilpflanze aus der Chinesischen Medizin mit stark antimykotischen und antibakteriellen Eigenschaften. Ist die Haut jedoch eher trocken, schuppig und rissig, kann man auch Sesamöl (aus gerösteten Sesamsamen, im Naturkostladen oder in Orientläden erhältlich) auftragen.

Bei ernsterer Windeldermatitis verschreibt ein TCM-praktizierender Arzt oder Heilpraktiker auch Kräuterwaschungen und stärkere Salben als lediglich Sesamöl.

Die westliche Schulmedizin betrachtet Windeldermatitis als Infektion mit Hefepilzen oder Candidiasis. Im Falle einer derartigen Candida-Mykose muß sofort die Ernährung entsprechend pilzfeindlich umgestellt werden. Bei Säuglingen bedeutet das, daß die Mutter auf eine Antipilz-Diät umsteigen muß, in der sie vor allem darauf achten muß, zuckerhaltige Nahrungsmittel zu vermeiden, um dem Pilz die Lebensgrundlagen zu entziehen.

Miliaria (Roter Hund)

Miliaria, in den Tropen als Miliaria rubra bekannt, ist ein Hautproblem, das bei starkem Schwitzen und Verlegung der Schweißdrüsengänge, also vorwiegend in den Sommermonaten auftritt. Es beginnt mit kleinen Pusteln oder auch kleinen Blasen mit einem roten Hof, die zunächst noch einzeln abgegrenzt sind, dann aber allmählich zu einem Fleck zusammenwachsen können. Die Haut fühlt sich heiß an und juckt.

Linderung kann man dem kleinen Patienten in diesem Fall verschaffen, indem man zu enge und zu warme Kleidung abnimmt, ihn häufig badet und vor allem die betroffenen Hautstellen mit frischen Gurkenscheiben einreibt.

Milchschorf

Milchschorf ist eine seborrhoische Dermatitis, die bei Kindern im Windelalter auftritt. Sie entwickelt sich gewöhnlich im ersten Lebensmonat und zeichnet sich durch eine dicke, gelbliche Kruste am

Schädel aus. Ist sie stärker ausgeprägt, können sich auch Risse und Schuppen hinter den Ohren bilden, ebenso rote Pusteln im Gesicht. Viele Kinder, die an Milchschorf leiden, sind auch anfällig für Windeldermatitis, und diese Tatsache gibt Aufschluß über Ursache und Behandlungsmöglichkeiten. Wie wir bereits eingangs gesehen haben, ist Windeldermatitis auf einen feuchten Hitzezustand zurückzuführen. Nach der Traditionellen Chinesischen Medizin weisen Kinder wie Erwachsene gewöhnlich ein Gesamtmuster auf. Dieses Muster kann komplex und vielschichtig sein, doch das ist eben der Unterschied zwischen einem TCM-Muster und einer Krankheit. Das Muster zieht alle Anzeichen und Symptome einer Person in Betracht und versucht damit, einen ganzheitlichen Ansatz zu finden.

Wenn man die Verletzungen auf der Schädeldecke genauer untersucht, stellt man fest, daß sich dort ein dicker, gelber Schorf gebildet hat. Nach der Logik der TCM läßt eine derartige trockene, krustige Hautverletzung auf einen trockenen Krankheitsmechanismus schließen. „Brodelt" jedoch eine feuchte Hitze im Kind, steigt diese Hitzekomponente gewöhnlich nach oben, weil Wärme von Natur aus zum Aufsteigen tendiert. Die Hitze trocknet dann die oberen Körperbereiche aus, auch wenn ihr Ursprung eine feuchte Wärme im unteren Körperbereich ist. Daher ist es nicht ungewöhlich, wenn man bei Kindern oder auch Erwachsenen unten Symptome feuchter Hitze und oben Symptome trockener Hitze feststellt. Hat man einmal diesen Aspekt der feuchten Wärme oder Hitze verstanden, erkennt man, daß diese beiden offensichtlich gegensätzlichen Erscheinungen Teile des gleichen Musters sind.

Aus diesem Grund muß man bei der Behandlung von Milchschorf zweigleisig fahren: Zum einen verabreicht man dem Kind ein paar chinesische Kräutermischungen, die die Hitze und die Feuchtigkeit beseitigen. Welche Kräuter man verwendet, hängt von den Symptomen ab und davon, wie ernst der Zustand ist. Da es hier eine Reihe von Möglichkeiten gibt, sollte man die Beurteilung dem erfahrenen Fachmann übelassen. Meist umfaßt die Kräutermischung eine Kombination aus Kräutern, die die Hitze und die Feuchtigkeit beseitigen und Zutaten, die die Milz stärken und die Verdauung fördern.

Zuhause können die Eltern die betroffene Stelle am Kopf abends mit Sesamöl einreiben. Das Öl bleibt über Nacht auf der Kopfhaut und wird am Morgen ausshamponiert. Wenn das Kind bereits feste Nahrung zu sich nimmt, darf es weder Zucker noch Süßigkeiten essen oder gesüßte Fruchtsäfte trinken. Als Eltern sollte man sich immer ins Gedächtnis rufen, daß eine kleine Flasche Fruchtsaft mindestens so viel Zucker enthält wie ein Schokoladenriegel.

Die westliche Medizin führt Milchschorf auf genetische und klimatische Faktoren zurück. Nach der Chinesischen Medizin hingegen werden die Anlagen für Milchschorf bereits im Mutterleib gelegt. Meist haben die Mütter während der Schwangerschaft zuviel Süßes oder zu fette und scharfe Speisen, also „heiße" Speisen gegessen. Diese Art von Ernährung führt zu einem Zustand feuchter Hitze bei der Mutter, der dann aufs Kind übertragen wird. Eine nahrhafte, gesunde und leicht verträgliche Ernährung während der Schwangerschaft ist eine Möglichkeit der Vorbeugung. Unter gesunder, leicht verträglicher Ernährung versteht man eine vorwiegend vegetarische Ernährung, wobei aber durchaus kleine Menge tierisches Eiweiß dabei sein dürfen, vorausgesetzt, es ist nicht zu viel oder zu fett. Ferner ist wichtig, daß auch stillende Mütter auf eine gesunde, reine Ernährung achten, wenn ihr Baby an Milchschorf leidet.

Mundsoor
(Candidose der Mundschleimhaut)

Bei Mundsoor wird die Mundschleimhaut des Kindes von Candida-Pilzen befallen. Typisch dafür sind milchig-weiße, cremige Flecken auf der Zunge oder auf der Mundschleimhaut, wobei sich das darunterliegende Gewebe entzündet. Die chinesische Fachliteratur unterscheidet hierbei mehrere klassische Krankheitsmuster. Die beiden häufigsten sind: 1) Stau im Magen-Darmbereich und Hitze sowie 2) Mangelhitze, die nach oben fließt. In der Praxis lassen sich die meisten Fälle aber nicht so säuberlich in Überschuß- und Mangelmuster aufteilen. Ich habe zum Beispiel die Erfahrung gemacht, daß bei den meisten Fällen einer oralen Candidose bei Kindern eine Kombination aus feuchter Hitze im Magen **und** Milzmangelzustand vorlag. Der Mangelzustand der Milz läßt sich in diesem Fall auf die angeborene Milzschwäche bei kleinen Kindern zurückführen, die durch falsche oder mangelhafte Ernährung verschlimmert wird. Die feuchte Hitze hingegen hat Überfütterung oder falsche Ernährung zur Ursache. Wenn, wie es häufig der Fall ist, mehrere Faktoren die Candidose bei Säuglingen und Kleinkindern hervorrufen, sind auch die Begleiterscheinungen eine Kombination aus Überschuß- und Mangelzustand. Angenommen, der Befall tritt wiederholt auf und heilt nicht ab, der Appetit ist schlecht, die Gesichtsfarbe gelblich-fahl und der Stuhl breiig oder bereits flüssig, dann sind die Behandlungsprinzipien wie folgt: Stärkung der Mitte und Kräftigung des Chi sowie Unterdrückung des Yin-Feuers mit Hilfe einer Mischung aus süßen, warmen, bitteren und kalten Zutaten. Auf dieser Grundlage wird vermutlich eine Variante des *Bu Zhong Yi Qi Tang* („Absud zur Unterstützung der Mitte und Stärkung des Chi") verschrieben, der auch ein paar Ingredienzien enthält, die eine antimykotische (pilztötende) Wirkung haben. Zusätzlich ist es hilfreich, einen Puder aus chinesischen Heilkräutern direkt auf die betroffenen Stellen im Mund aufzutragen. Diese Kräuter haben eine rein antimykotische Wirkung, wohingegen sich der innerlich einzunehmende Kräuterabsud aus milzstärkenden und pilztötenden Kräutern zusammensetzt.

Wenn der Säugling an einer Candidose leidet, ist es wichtig, daß die Mutter während der Behandlungszeit auf eine gesunde, möglichst wenig allergieauslösende Anti-Pilz-Diät umstellt (Genaueres dazu erfahren Sie unter dem Stichwort „Allergien bei Kindern"). Leidet auch die Mutter an einer polysystemischen chronischen Candidiasis (PSCC), ist es nicht ungewöhnlich, daß sich bei ihr Risse an den Brustwarzen bilden, wenn ihr Kind Mundsoor entwickelt. In diesem Fall sollte die Mutter neben einer Umstellung auf eine einfache, hefe- und zuckerfreie Ernährung chinesische antimykotisch wirkende Medikamente auf ihre aufgesprungenen Brustwarzen auftragen. Tritt auch Flüssigkeit aus den Warzen aus, wendet man eine

Mischung aus Radix Angelicae Dahuricae (*Bai Zhi*) in Pulverform und etwas Muttermilch an, die auf die Brustwarzen gerieben wird. Sind die Brustwarzen rissig, trocken und schuppig, ohne daß Flüssigkeit oder Eiter austritt, ist eine chinesische Salbe wie *Qing Dai Gao* (Indigo-Salbe) gut geeignet, die zwischen den Stillzeiten aufgetragen wird.

Da eine polysystemische chronische Candidose bei so vielen anderen chronischen Beschwerden mit eine Rolle spielt, ist es meiner Meinung nach von größter Wichtigkeit, einen Candidabefall wie etwa bei Mundsoor sofort bei Auftreten umfassend zu behandeln. Für mich bedeutet das auch immer, neben der Medikation auch auf eine entsprechende Ernährung zu achten. Das heißt, daß sowohl der kleine Patient als auch die Mutter eine entsprechend leicht verdauliche Anti-Pilz-Diät einhalten müssen. Für einen Säugling bedeutet dies entweder Muttermilch oder, wenn er mit Muttermilchersatz ernährt wird, ein Produkt ohne Zuckerzusatz. Kinder, die bereits auf feste Nahrung umgestellt sind, sollten keine Lebensmittel mit Zuckerzusatz, kein Obst und keine Fruchtsäfte erhalten. Die beste Nahrung für ein Baby ist neben Muttermilch eine verdünnte Suppe aus weißem Reis, da Reis das am wenigsten allergieauslösende und am leichtesten verdauliche Getreide ist.

Zahnen

Zahnen wird in der chinesischen Fachliteratur nicht als Krankheit aufgeführt. Die Chinesische Kinderheilkunde sieht das Zahnen als normalen physiologischen Prozeß in der Entwicklung des Kindes. Das Zahnen kann jedoch von Schmerzen und sogar Fieber begleitet sein. Nach der Chinesischen Medizin gelten physiologische Veränderungen als warme Veränderungen. Der chinesische Ausdruck für „Heranwachsen" ist *cheng shu*. *Cheng* bedeutet „werden", *shu* hingegen „reifen", aber auch „kochen". Die Wortwurzel ist die gleiche wie die für „Feuer", was auch „kochen" bedeutet. Eltern wissen ja, daß ihre Kinder nicht gleichmäßig wachsen, sondern die Entwicklung in Schüben vorangeht. Es gibt Zeiten des Stillstands, wo sich augenscheinlich nichts tut, und dann wieder plötzliche Wachstumsschübe, die mit deutlichen Veränderungen einhergehen. Solche Wachstumsschübe sind nach der Chinesischen Medizin mit zusätzlicher Hitze im Körper in Verbindung zu bringen und diese zusätzliche Hitze kann auch vorübergehend Fieber verursachen. Die Chinesen sagen dazu *bian zheng*, Veränderung und Dampfen.

Wie wir im weiteren sehen werden, gibt es eine Reihe von Möglichkeiten, wie Eltern ihren Kindern bei Fieber helfen können. Ein paar davon können auch für Begleitfieber beim Zahnen eingesetzt werden. Wenn das begleitende Fieber jedoch nicht zu hoch ist und das Kind keine großen Schmerzen hat oder sich sehr unwohl fühlt, muß man nicht unbedingt behandeln. Ich habe festgestellt, daß oftmals eine geringe Dosis einer einfachen chinesischen Kräuterrezeptur namens *Suan Zao Ren Tang* („Zizyphus Spinosae-Absud") das Fieber senkt und die Beschwerden des Zahnens lindert. Fragen Sie einfach einen TCM-kundigen Arzt oder Heilpraktiker in Ihrer Nähe, ob das auch für Ihr Kind geeignet ist. Wie wir im folgenden sehen werden, können diese Veränderungsprozesse gekoppelt mit Fieber unter Umständen auch Ohrinfektionen hervorrufen oder verschlimmern, und die sollte und kann man mit chinesischen Heilkräutern behandelt.

Fieber

Fieber tritt bei Säuglingen und Kleinkindern entweder alleine oder in Verbindung mit anderen Beschwerden wie Erkältung oder Ohrenschmerzen auf. Oftmals ist Fieber das wichtigste Anzeichen, woran Eltern erkennen, daß ihr Kind krank. Dazu kommt, daß Kinder gewöhnlich höheres Fieber bekommen als Erwachsene, was den Eltern schnell große Sorge bereitet. Die Chinesische Medizin unterteilt Fieber in zwei Hauptkategorien. Zum einen unterscheidet sie zwischen Mustern, die durch das Eindringen von äußeren Krankheitserregern hervorgerufen werden und solchen, die auf innere Schäden zurückzuführen sind. Die erste Kategorie (Eindringen von äußeren Krankheitserregern) steht mit einem kürzlich erfolgten Anfall, einem akuten Zustand in Zusammenhang, die zweite Kategorie (innere Schäden) hingegen mit einem chronischen Zustand.

Kategorie 1 (Eindringen von außen) wird wiederum in vier verschiedene Fiebermuster unterteilt, nämlich in Windkälte, Windhitze, warme Hitze und feuchte Hitze, wobei jede Gruppe wiederum ihre eigenen Symptome und Behandlungsmöglichkeiten aufweist. Windkälte zeichnet sich durch eine verstopfte oder laufende Nase, Husten, Kälteempfindlichkeit, Fieber, Kopfschmerzen, kein Schwitzen, Gliederschmerzen, einen dünnen weißen Zungenbelag und einem fluktuierenden Puls aus. In diesem Fall konzentriert man sich bei der Behandlung auf die Beseitigung von Wind und Kälte und setzt warm und scharf wirkende Medikamente zur Heilung des Äußeren ein. Ein typisch chinesisches Kräuterrezept wäre in diesem Fall das *Jing Fang Bai Du Sa* („Schizonepeta- und Ledebouriella-Pulver zum Austreiben von Giftstoffen") in den entsprechenden Abänderungen.

Weist das Kind ein Windhitzemuster auf, hat es gewöhnlich eine verstopfte Nase, Husten, Fieber, Kopfschmerzen, Halsschmerzen, einen dünnen weißen oder leicht gelblichen Zungenbelag, einen fluktuierenden, schnellen Puls, ist kälteempfindlich und schwitzt leicht. In diesem Fall lautet das Behandlungsprinzip: Hitze und Wind beseitigen und mit scharf und kühl wirkenden Medikamenten das Äußere heilen. Eine gern angewandte Kräutermischung wäre zum Beispiel *Sang Ju Yin* („Morus- und Chrysanthemen-Trunk") oder *Yin Qiao San* („Lonicera-Forsythia-Pulver"), die entsprechend der individuellen Symptome der einzelnen kleinen Patienten variiert werden können. Ein einfaches Hausmittel für ein derartiges Windhitze-Fieber ist Majoran, der in Wasser zu einem Tee gekocht und dann getrunken wird, um kräftig ins Schwitzen zu kommen. Majoran wirkt scharf und kühl, reinigt das Körperäußere und beseitigt den Hitzezustand.

Beim Muster des warmen Hitzezustands kommt es zu hohem Fieber, das nicht zurückgeht, lästigen, geradezu beunruhigenden Durst, starkem Schwitzen, einer roten Zunge mit einem trockenen, gelben

Belag und einem schnellen Puls, der gerne „wegrutscht". In diesem Fall sind warme, heiße Krankheitserreger tiefer in den Körper eingedrungen als es bei den beiden vorherigen Mustern geschehen ist. Die Behandlung zielt hier darauf ab, die Hitze zu beseitigen und die Flüssigkeiten aufzubauen, was gewöhnlich mit einer Kräuterrezeptur namens *Lian Qiao San* („Lonicera-und Forsythia-Pulver") plus *Shi Gao Hzi Mu Tang* („Gypsum-Fibrosum-Absud) geschieht, die je nach Bedürfnisse des einzelnen Kindes ergänzt oder reduziert werden.

Leidet das Kind hingegen an feuchter Hitze, hat es nicht allzu hohem Fieber, ein Spannungsgefühl in Kopf und Brust (der Kopf fühlt sich „zum Platzen"an), Gliederschwäche, Übelkeit, trockenen Mund, aber nur geringen Durst, einen fahlen Geschmack im Mund, schlechten Appetit, rötlichen bzw. dunklen Urin, unter Umständen breiigen Stuhl, einen dicken, schleimigen weißen Belag auf der Zunge und einen schnellen, weichen Puls. Die Behandlungsprinzipien in diesem Fall sind eine Beseitigung der Hitze und der Feuchtigkeit mit Hilfe von stark aromatischen Heilkräutern, die die Unreinheiten umwandeln. *Huo Po Xia Ling Tang* („Absud aus Agastaches, Magnolia, Pinellia und Poria") plus *San Ren Tang* („Drei-Samen-Absud") mit entsprechenden Varianten ist eine der Kombinationen, die darauf anspricht.

In allen vier Fällen sollte man jedoch nicht versuchen, das Fieber des Kindes zu senken, indem man es in kaltem Wasser badet. Alle vier Muster sind ja auf ein Eindringen von Krankheitserregern von außen zurückzuführen, und ein kaltes Bad würde die Poren nur schließen, während die Chinesische Medizin genau entgegengesetzt arbeitet, nämlich versucht, die Poren zu öffnen, um die Krankheitserreger herauszulassen.

In all den oben beschriebenen Fällen kann man auch zur Fiebersenkung die Wirbelsäule herab massieren oder man reibt mit einem chinesischen Suppenlöffel kräftig über Schulter- und Nackenbereich, bis sich die betroffenen Hautstellen röten. Diese Technik heißt im Chinesischen *gua sha* und ist eine Möglichkeit, die Poren, also das „Körperäußere", zu öffnen, damit die Hitze entweichen kann.

Bei Windhitze, warmer Hitze und feuchter Hitze empfiehlt es sich zur Fiebersenkung, zwei- bis dreimal täglich den Saft von zwei bis drei frisch gepreßten Baumstachelbeeren zu trinken. Da diese Früchte im Körper kalt wirken, sollte man sie weder beim Windkälte-Muster noch bei dem im Anschluß beschriebenen Fieber aufgrund von Chi- und Blutmangel verwenden.

Eine weitere Möglichkeit, das Fieber bei den drei obengenannten Hitzemustern zu senken, besteht darin, bestimmte Akupunkturpunkte anzustechen, bis ein, zwei Tropfen Blut herausquellen. Diese Technik sollte man jedoch einem erfahrenen Akupunkturspezialisten überlassen.

Es gibt nach der Traditionellen Chinesischen Medizin zwei Fiebermuster, die auf sogenannten innere Schäden zurückzuführen sind, wobei der Begriff „Schaden" keinen ernsten oder gravierenden Zustand beschreibt, sondern nur als fachlicher Terminus zu werten ist. Es bedeutet vielmehr, daß sich eine Krankheit schon über eine geraume Zeit dahinschleppt und bereits die positiven Energien oder Substanzen des Körpers angegriffen hat, und dieser Schaden, den die Krankheit am „guten" Chi angerichtet hat, macht sie so schwer heilbar. Diese beiden Muster sind in der ambulanten Praxis jedoch nicht häufig anzutreffen. Kinder, die diese Muster aufweisen, leiden in der Regel an einer gravierenden Krankheit wie Rheuma, Arthritis, Keuchhusten oder ähnlichen chronischen Beschwerden, weswegen sie bereits in Behandlung sind. Diese Muster werden jedoch nicht mit hohem Fieber, das plötzlich mitten in der Nacht ausbricht, in Verbindung gebracht.

Das erste Fiebermuster mit inneren Schäden nennt man „Inneres Hitze-Muster aufgrund von Yin-Mangel". Die Symptome sind periodische Fieberattacken (Fieber, das in regelmäßigen Abständen auftritt wie etwa jeden Abend), Schweißausbrüche während der Nacht, gerötete Wangen, eine aufgewühlte geistige Verfassung (mit Nervosität, Unruhe, Erregbarkeit etc.), trockener Husten mit wenig Schleim, trockener Hals, trockene Lippen, Durst, wenig dunkelgefärbter (leicht rötlicher) Urin, trockener Stuhl, eine rote Zunge mit etwas Belag, der sich zum Teil auch ablöst sowie ein feiner, schneller Puls. Die Behandlungsprinzipien lauten: Stärkung des Yin, Beseitigung des Hitzezustands und der Trockenheit sowie Aufbau der Körperflüssigkeiten. Die Chinesische Medizin sieht dafür Kräutermischungen wie *Qin Jiao Bie Jia San* („Pulver aus Gentiana, Macrophylla und Carapax Amidae") in Verbindung mit *Sha Shen Mai Don Tang* („Absud aus Glenia und Ophiopogon") und ihre jeweiligen Varianten vor. Kindern, die diesen trockenen, heißen Mangelzustand aufweisen, gibt man am besten Birnen- oder Apfelmus, vielleicht sogar etwas warme Milch mit Zucker.

Das zweite Fiebermuster aufgrund innerer Schäden ist das „Doppelte Chi- und Blutmangel-Muster". Die Symptome sind leichtes Fieber, das bei Anstrengung auftritt oder sich verstärkt, Schweißausbrüche bei der leichtesten Anstrengung, Appetitmangel, breiiger Stuhl, allgemeine Lustlosigkeit, ein blasses, farbloses Gesicht mit fahlen Lippen und ein entsprechendes Verhalten, allgemeine Müdigkeit, eine blasse Zunge mit einem weißen Belag und ein feiner, weicher Puls. Die Behandlung ist in diesem Fall auf eine Stärkung und Kräftigung der Milz und ein Anheben des Chi bei gleichzeitiger Anwendung von warm und süß wirkenden Heilkräutern zur Beseitigung der Hitze ausgerichtet. Die herkömmlich verwendeten Mittel gegen diesen Zustand lauten zum einen *Yi Gon San* („Pulver mit außergewöhnlicher Wirkung") kombiniert mit *Bu Zhong Yi Qi Tang* („Absud zur Stärkung der Mitte und Erhöhung des Chi") und ihre verschiedenen Abwandlungen. Kinder, die dieses Muster aufweisen, sollten eine warme, nahrhafte, einfache und leicht verdauliche Kost erhalten. Nützlich ist es auch, sie jeden Tag mit der Rollmasage entlang der Wirbelsäule zu massieren, um ihre allgemeine Konstitution zu stärken.

Die Traditionelle Chinesische Medizin kann diese beiden eben beschriebenen Typen von Mangelmuster ausgezeichnet und sehr wirkungsvoll behandeln, ganz im Gegensatz zur westlichen Medizin, die mit dieser Kombination von Symptomen nicht sonderlich zurechtkommt. Antibiotika helfen hier nicht weiter, weil die Ursache nicht im Körper befindliche Krankheitserreger oder Keime sind,

116

sondern das allgemein geschwächte und stark angegriffene Immunsystem. Die Chinesische Kräuterheilkunde ist gerade für den Aufbau eines geschwächten Abwehrsystems und die Wiederherstellung des Gesundheitszustands besonders wirksam. Ich kann allen Eltern, deren Kinder an chronischen Krankheiten mit immer wieder auftretenden Fieberschüben leiden, nur raten, es einmal mit chinesischen Heilkräutern zu versuchen.

Ohrinfektionen

Ohrinfektionen zählen zu den häufigsten Kinderkrankheiten der westlichen Welt. Sie treten gewöhnlich zum Zeitpunkt des ersten Zahndurchbruchs auf. Das ist normalerweise die Zeit, in der Eltern ihr Kind auf feste Nahrung umstellen. Eltern erkennen eine Ohrentzündung als erstes daran, daß das Kind vor Schmerzen weint oder schreit. Zweitens fällt ihnen vielleicht auf, daß das Kind am Ohr zieht oder darauf herumklopft. Sollten die Eltern diese beiden Symptome jedoch übersehen haben, werden sie es spätestens dann merken, wenn als Begleiterscheinung Fieber auftritt. Bringt man das Kind dann zu einem westlichen Schulmediziner, wird es normalerweise sofort mit Antibiotika behandelt. Das setzt zwar dem derzeitigen akuten Zustand ein Ende, doch nur allzuoft entwickelt das Kind kurz nach dem Absetzen der Antibiotika eine erneute Ohrenentzündung. Der Arzt „schlägt" wiederum mit Antibiotika zu, und sobald diese abgesetzt werden, kehren auch die Ohrenschmerzen wieder zurück. Wenn dies ein paarmal geschieht, wird der Arzt den Eltern gewöhnlich zu einer Tubenoperation raten, bei der dem Kind kleine Schläuche in die Paukenhöhle eingesetzt werden, um den Abfluß zu verbessern und ein Platzen des Trommelfells mit damit verbundenem Gehörverlust zu vermeiden. Wie oft habe ich als Kliniker diese Geschichte schon gehört!

Als ich noch in China Kinderheilkunde studierte, fragten mich einige meiner Lehrer eines Tages, was die häufigste Kinderkrankheit in den Vereinigten Staaten wäre. Ich antwortete sofort ohne zu

117

zögern: Ohrinfektionen. Die Ärzte tuschelten daraufhin eine Weile lang untereinander, drehten sich schließlich um und teilten mir mit, daß Ohrinfektionen in China kein sonderliches Problem darstellten. Und als ich zum Schreiben dieses Buches eine Reihe chinesische Texte zum Thema Kinderheilkunde konsultierte, mußte ich feststellen, daß lediglich in einem davon ein Abschnitt über Ohrinfektionen enthalten war! Einige westliche Schulmediziner erzählen den geplagten Eltern, daß Säuglinge und Kleinkinder besonders anfällig für Ohrinfektionen wären, weil die Entfernung zwischen Nasenhöhle und Ohrtrompete, die dann ins Innenohr führt, so kurz ist. Daraus schließt man, daß gerade bei den Allerkleinsten die Krankheitserreger leicht von der Nase ins Ohr gelangen können. Dazu kann ich nur sagen, daß ich kaum glaube, daß bei chinesischen Babys die Ohrtrompete wesentlich weiter von der Nasenhöhle entfernt ist als bei westlichen Säuglingen. Also muß etwas anderes der Grund sein.

Die Chinesische Medizin kennt bei Erwachsenen zum Thema Ohrinfektion eine ganze Reihe von Disharmoniemustern, die jeweils mit unterschiedlichen Methoden und unterschiedlichen Prinzipien behandelt werden. Bei Kleinkindern ist die Situation jedoch wesentlich einfacher. Der Chinesischen Medizinlehre nach existiert eine innere Verbindung zwischen Magen-Darm-Trakt und Innenohr. Sammelt sich stagnierende Nahrung im Magen-Darm-Trakt an, kann sich daraus, wie wir bereits gehört haben, überschüssige Hitze bilden. Tritt auch noch im Rahmen des Zahnprozesses Fieber auf, können diese Hitze und die Hitze, die durch den Nahrungsstau hervorgerufen ist, einander aufschaukeln, und über diese innere Verbindung vom Darm ins Innenohr fließen. Wir haben ja bereits gesehen, daß sich Nahrungsstau bei Säuglingen und Kleinkindern auf ihre von Natur aus schwache, weil nicht vollständig ausgebildete Milzfunktion zurückführen läßt. Daher ist es kein Wunder, daß sich dieser Nahrungsstau noch verschlimmert, wenn Kinder zum ersten Mal feste und damit schwerer verdauliche Nahrung erhalten. Das erklärt auch, warum chinesische Babys weniger Probleme mit Ohrinfektionen haben als westliche Kinder. Obwohl ich wirklich nicht alles gutheiße, was die chinesische Kultur anbelangt, so muß ich doch sagen, daß ihr Verständnis von einer gesunden Ernährung sowohl für Kinder als auch für Erwachsene dem unseren weit voraus ist.

Wird dieser Hitzezustand mit Antibiotika behandelt, dann beseitigen die Antibiotika zwar die Hitze, und der Zustand verbessert sich zumindest für kurze Zeit. Das Problem ist aber, daß die Antibiotika nicht gegen den Nahrungsstau wirken, der normalerweise einer Ohrentzündung bei Kindern zugrundeliegt, und sogar zu einer Verschlimmerung beitragen. Das liegt daran, daß Antibiotika nach der Chinesischen Medizinlehre die Milz schädigen. Sie töten nämlich alle gesunden Bakterien ab, die der Magen-Darm-Trakt für eine gesunde, effiziente Verdauung benötigt. Da das Nettoergebnis einer unnötigen oder übermäßigen Behandlung mit Antibiotika zu einer Schwächung der Milz führt, liegt es auf der Hand, daß Antibiotika einen Teufelskreis aus immer wiederkehrenden Ohrentzündungen aufgrund von Nahrungsstau hervorrufen. Auf jeden „Rundumschlag" mit Antibiotika folgt eine neue Ohrinfektion, bis schließlich Eltern und Kinderarzt am Ende ihres Lateins sind und dem Kind tatsächlich Schläuche in die Paukenhöhle einsetzen lassen.

Bevor wir jetzt weiter auf das Thema eingehen möchte ich an dieser Stelle betonen, daß ich nicht grundsätzlich gegen die Verwendung von Antibiotika bin. Antibiotika können im Ernstfall Leben retten. Das Problem dabei ist, daß sie gewöhnlich auch dann verabreicht werden, wenn die Situation alles andere als lebensbedrohlich ist. Ich bin vielmehr der Ansicht, daß man sich Antibiotika sozusagen wie einen Trumpf im Ärmel in Reserve halten soll, um sie erst am Ende der Leiter der verschiedenen Möglichkeiten als Nothilfe einzusetzen. Ich bin der Meinung, daß man zunächst die harmloseren, sichereren Wege ausnutzen und versuchen soll. Medikamente, die weniger heftig wirken, haben gewöhnlich auch weniger Nebenwirkungen. Man sollte daher zunächst die alten Hausmittel wie heiße und kalte Kompressen (wie diese zubereitet und angelegt werden, erfahren Sie in dem Unterkapitel Mumps) und/oder chinesische Heilkräuter ausprobieren, die sowohl eingenommen, als auch direkt ins Ohr geträufelt werden können. Ein einfaches Hausmittel besteht aus frisch gepreßtem Pfefferminzsaft, der als Tropfen ins Ohr geträufelt wird. Führt das nicht zum beabsichtigten Ergebnis und verschlimmert sich der Zustand auf gefährliche Art und Weise, kann man immer noch als letzte Rettung zu Antibiotika greifen.

Der Vorteil der chinesischen Kräuterheilkunde liegt darin, daß sich damit sowohl akute Ohrinfektionen als auch chronisch wiederkehrende Ohrenschmerzen behandeln lassen. Ein weiterer Vorteil besteht darin, daß auch die normalerweise komplizierte Ausarbeitung eines chinesischen Diagnosemusters entfällt, da die meisten Säuglinge und Kleinkinder mit Ohrenschmerzen das gleiche Muster aufweisen. Das meiner Meinung nach in diesem Fall wirkungsvollste Kräuterrezept ist *Xiao Chai Hu Tang* („Kleiner Bupleurum-Absud"), der in den entsprechenden Varianten verabreicht wird. Diese Zusammenstellung enthält Kräuter, die die Milz stärken, die Feuchtigkeit beseitigen, den Magen-Darm-Trakt von stagnierender Nahrung befreien und die Hitze und den Entzündungsprozeß eindämmen. Nach der Chinesischen Medizinlehre dringen diese Heilkräuter in die Kanäle des Magen-Darm-Trakts und der Gallenblase ein. Das sind die Kanäle, die das Ohr umgeben und damit auch behandeln. Diese Rezeptur ist in China bereits seit dem 2. Jh. v. Chr. bekannt und ist statistisch gesehen auch die chinesische Kräutermischung, die in Japan am häufigsten verschrieben wird. Ihre Ungefährlichkeit steht damit außer Frage.

Verwendet man diese Kräutermischung zur Behandlung einer akuten oder wiederkehrenden Ohrinfektion, gibt man noch Zutaten dazu, die schmerzlindernd und entzündungshemmend wirken. Gleichzeitig kann der TCM-erfahrene Arzt oder Heilpraktiker auch zur lokalen Behandlung Ohrentropfen, die ebenfalls aus chinesischen Heilkräutern hergestellt sind, verschreiben. Leidet das Kind an starken Schmerzen, kann er zur Linderung auch den sogenannten *Luo*, das Verbindungsgefäß des Dickdarms akupunktieren. Zur Fiebersenkung können die Eltern beitragen, indem sie die Wirbelsäule des Kindes vom Nacken bis zum Steißbein herab mehrmals massieren. Gegen die Schmerzen hilft außerdem eine Massage der Stirn und des Nackens.

Da dieser Zustand bei Kindern in unmittelbarem Zusammenhang mit ihrem Verdauungsprozeß steht, ist eine gesunde, leicht verdauliche Ernährung absolut unerläßlich. Das bedeutet keine Milchprodukte wie Milch oder Käse, keine fetten, gebratenen oder scharf gewürzten Speisen, kein Zucker, keine Süßigkeiten und keine rohen, kalten oder tiefgefrorenen Nahrungsmittel. Das bedeutet im Klartext auch: keine Rohkost, keine gekühlten Säfte, kein kalter Joghurt oder Eis. Wenn Kinder an häufig auftretenden Ohrinfektionen leiden, sollte man sogar hefehaltige Weizenprodukte wie Brot vom Speiseplan streichen.

Zur Vorbeugung wiederkehrender Ohrinfektionen ist das Grundrezept des *Xiao Chai Hu Tang* ohne komplexe Zusätze oder Abänderungen gut geeignet. Diese Kräutermischung verabreicht man im ersten Jahr bis in den Monat April hinein. Im nächsten Jahr beginnt man mit der Behandlung im September oder Anfang Oktober und setzt sie zur Vorbeugung vor Ohrinfektion, Erkältungen, Husten, Halsschmerzen oder Mandelentzündung bis Ende April fort. Gleichzeitig ist eine gesunde Ernährung mit einfachen, leicht verdaulichen Nahrungsmitteln absolut unerläßlich, wenn die chinesischen Heilkräuter ihre ganze Wirkung entfalten sollen. Im Chinesischen gibt es einen Sinnspruch, der besagt „drei Teile Medizin, sieben Teile Pflege". Das bedeutet, daß Medikamente beim Genesungsprozeß nur eine dreißigprozentige Rolle spielen, Ernährung und Lebensstil, d. h. also Pflege hingegen zu 70 %. Das gilt ganz besonders für Kinder mit Ohrinfektionen. Wenn die Kinder keine gesunde Ernährung einhalten, wie sie die Chinesische Medizin vorschreibt, sind die Aussichten auf eine dauerhafte Heilung sehr gering.

Das bedeutet aber auch, daß die Eltern bereit sein müssen, die Antibiotika abzusetzen. Gewöhnlich bekommt das Kind dann kurz nach dem Absetzen der letzten Antibiotika eine weitere Ohrinfektion. Das ist der entscheidende Wendepunkt. Wenden sich die Eltern dann sofort an einen TCM-erfahrenen Arzt oder Heilpraktiker, der das Kind mit entsprechenden Kräutermischungen, Ohrentropfen, Umschlägen, Massagetechniken bzw. Akupunktur behandelt, haben sie eine gute Chance, daß Antibiotika in Zukunft überflüssig sein werden. Mit anderen Worten, die Eltern müssen einmal die Zähne zusammenbeißen und Abstand von den Antibiotika nehmen. Für einige Eltern, die bisher noch keine Erfahrung mit alternativer Medizin gemacht haben, mag dies erschreckend klingen. Wenn sie jedoch wieder zu Antibiotika greifen, geht der Teufelskreis mit den Ohrinfektionen immer weiter.

Da diese Zwickmühle für Eltern durchaus beängstigend sein kann, sollten sie das Problem gründlich mit ihrem TCM-Spezialisten besprechen, damit beide Seiten genau wissen, wie in welcher Situation behandelt wird und wann Antibiotika wirklich notwendig und angemessen sind. Bekommen Kinder schon im jungen Alter immer wieder Antibiotika, habe ich als Arzt die Erfahrung gemacht, daß dies zu chronischen Gesundheitsproblemen führen kann, die den Patienten dann viele, viele Jahre, wenn nicht das ganze Leben lang plagen. Gerade Kinder sind besonders anfällig für Allergien wie Heuschnupfen und allergisches Asthma, ebenso für Entzündungen des Rachenraums. Aus diesem Grund kann ich gar nicht genug betonen, wie wichtig es meiner Meinung und Erfahrung nach ist, Antibiotika wirklich nur im äußersten Notfall zu verwenden.

Nützlich ist es auch, das Kind regelmäßig vom Hals-Nasen-Ohrenarzt kontrollieren zu lassen. Oft meint der Arzt dann leider, daß das Ohr entzündet aussieht oder daß gerade eine Entzündung im Anzug ist und verschreibt Antibiotika, obwohl das Kind noch keine weiteren Anzeichen oder Symptome von Ohrenschmerzen zeigt – außer denen, die der Arzt mit dem Otoskop wahrgenommen hat. Das verursacht Probleme, wo im Grunde noch gar keine waren. Wenn das Trommelfell kontinuierlich angeschwollen ist und der Arzt sagt, daß sich dahinter Flüssigkeit angesammelt hat, das Kind aber keine weiteren Anzeichen oder Symptome einer Infektion oder Entzündung aufweist, kann dies auch mit chinesischen Heilkräutern behandelt werden. In diesem Fall wählt Ihr TCM-Spezialist vielleicht ein Rezept wie *Wu Ling San* („Poria-Pulver mit fünf Zutaten"), das die überschüssige Flüssigkeit auftrocknet, die Milz stärkt und damit genau den Mechanismus unterbindet, der Ohrinfektionen bei Säuglingen und Kleinkindern zugrundeliegt.

Es kann auch vorkommen, daß ein Trommelfell platzt. Manchmal merken die Eltern erst, daß ihr Kind an einer Ohrenentzündung leidet, wenn bereits Flüssigkeit aus dem Ohr läuft. Das ist jedoch bereits das Endstadium einer Ohrentzündung und kennzeichnet die Lösung der Situation. In diesem Fall verschreibt der TCM-kundige Arzt oder Heilpraktiker vermutlich eine Abart des *Huang Qi Jian Zhong Tang* („Astralagus-Absud zur Stärkung der Mitte"), eine Kräutermischung, die bereits seit dem zweiten Jahrhundert vor Christi bekannt ist. Sie ist auch geeignet, wenn ein Trommelfell geplatzt ist, weiterhin Flüssigkeit austritt und das Trommelfell nicht ordentlich zuheilt. Mit anderen Worten, diese Mischung fördert den Heilungsprozeß, nachdem die Entzündung bereits abgeklungen ist. Bei einem geplatzten Trommelfell müssen die Eltern darauf achten, daß der Kopf des Kindes die nächsten vier bis sechs Wochen nicht unter Wasser gerät. Läuft nämlich Wasser ins Ohr, kann das für das Kind sehr schmerzhaft sein, und es besteht außerdem das Risiko einer erneuten Infektion.

Über die Jahre habe ich zahlreichen alten und jungen Patienten mit akuten oder chronischen Ohrentzündungen helfen können. Ich weiß, daß die chinesischen Heilkräuter in Verbindung mit einer einfachen gesunden Ernährung sowie der Verzicht auf Zucker und Antibiotika Ohrentzündungen vorbeugen und heilen können. Ein Kind, das bisher an Zucker und Süßigkeiten, gekühlte Obstsäfte und Milch, Nutella und Marmelade, Käse und Eis gewohnt war, auf eine gesunde, leicht verdauliche Kost umzustellen, ist keine leichte Aufgabe und ich weiß, wovon ich spreche. Ich kann Ihnen jedoch versichern, daß sich das nicht nur kurz-, sondern auch langfristig positiv auf die Gesundheit ihres Kindes auswirken wird und ich *weiß*, daß es wirklich funktioniert.

Husten (allgemeine Erkältungskrankheiten und Bronchitis)

Wenn sich Kinder erkälten, bekommen sie gewöhnlich Husten. Husten zählt zu den Beschwerden, die bei Kindern am häufigsten auftreten. Zudem verschlimmert sich ihr Husten oft in der Nacht, was wiederum bedeutet, daß den ohnehin schon gestreßten Eltern wieder wertvolle Stunden Schlaf abgehen. Auf diese Weise wird der Husten eines Kindes zur Belastung für die gesamte Familie. Ich habe reichlich klinische Erfahrung in der Behandlung von Husten bei Kindern und kann durchaus behaupten, daß die Chinesische Medizin Kinderhusten sehr schnell und erfolgreich und vor allen Dingen ohne Nebenwirkungen heilen kann.

Wie auch bei Fieber unterteilt die Chinesische Medizin Husten in zwei Haupttypen, nämlich den äußeren Husten und den inneren Husten. Meiner Erfahrung nach ist der Husten bei den meisten Kindern vom inneren Typus. Der äußere Typus manifestiert sich erst bei älteren Kindern. Das liegt daran, daß die inneren Muster in der Regel auf eine schlechte Milzfunktion und eine falsche Ernährung zurückzuführen sind. Daher finde ich in meiner Praxis bei Säuglingen und Kleinkindern vorwiegend ein Hustenmuster vom inneren Typus vor.

Die Chinesische Medizin unterscheidet bei Kinderhusten sieben verschiedene sogenannte innere Muster. Diese reichen vom einfachen Husten aufgrund einer normalen Erkältung über Husten infolge einer Bronchitis bis hin zu asthmatischen Husten. Zur Erinnerung: TCM legt ja die Betonung auf die Behandlung, die sich aufgrund eines bestimmten Musters ergibt und weniger auf die Diagnose der Krankheit als solches. Daher spielt es für den TCM-erfahrenen Arzt nur eine untergeordnete Rolle, ob der Husten des Kindes auf eine Bronchitis oder ein Asthma zurückzuführen ist. Das erste Hustenmuster infolge eines Eindringens von außen bezeichnet die Chinesische Medizin als Windkälte, die die Lungen angreift. Die typischen Symptome sind leichtes Fieber, eine Abneigung gegen

Zug und Kälte, wenig Schweißbildung, Kopfschmerzen, eine verstopfte oder eine laufende Nase, Schnupfen, Husten mit einem dünnen weißlichen oder klaren Schleim, ein dünner weißer Belag auf der Zunge und ein fluktuierender enger Puls. Die Behandlungsprinzipien für dieses Muster sind wie folgt: Wind und Kälte austreiben, die Lungen entleeren und dem Husten Einhalt gebieten. Speziell bei Kindern verwende ich gerne Kräuterrezepturen, die ich in dem Werk "Pediatric Bronchitis: Its TCM Cause, Diagnosis, Treatment & Prevention" von Xiao Shun-Qin et. al. (A. d. Ü.: „Bronchitis bei Kindern: Ursache, Diagnose, Behandlung und Vorbeugung nach TCM") gefunden habe. Die in diesem Buch beschriebenen Kräutermischungen haben zwar keine feste Bezeichnung, doch für jedes angegebene Muster wird ein anderes Kräuterrezept mit verschiedenen Varianten angegeben. Normalerweise raten die klassischen Werke bei diesem Muster zu *San Ao Tang* („Drei-Dreher-Absud") und *Xiao Qing Long Tang* („Kleiner blaugrüner Drachenabsud"). Einfache Hausmittel für diesen Hustentyp sind zum einen das *Gua Sha*, das Warmreiben des oberen Rücken- und Schulterbereichs, sowie ein Tee, den man aus Schalotten, frischem Ingwer und weißen Mandeln zubereitet.

Das zweite Muster eines Eindringens von außen, das meiner Erfahrung nach bei westlichen Kindern häufiger auftritt, ist Windhitze, die die Lungen angreift. Die Symptome sind höheres Fieber, keine oder kaum Abneigung gegen Kälte, leichtes Schwitzen, jedoch ohne damit verbundene Fiebersenkung, Kopfschmerzen, gelber klebriger Nasenschleim, Rötung und Schwellung des Rachenraums, eventuell auch geschwollene Mandeln, Husten mit gelbem klebrigen Auswurf, eine rote Zungenspitze mit einem dünnen weißen oder leicht gelblichen Belag sowie ein fluktuierender schneller Puls. Die Behandlungsprinzipien zielen darauf ab, Wind und Hitze zu beseitigen, den Schleim umzuwandeln und dem Husten Einhalt zu gebieten. Die chinesischen Lehrbücher verordnen für diesen Hustentyp ein Rezept namens *Sang Ju Yin* („Morus- und Crysanthemum-Trunk") in verschiedenen Varianten, je nach vorherrschenden Anzeichen und Symptomen. Bei diesem Muster ist es wichtig, daß man das Kind zur Fiebersenkung nicht kalt badet oder mit einem kalten Schwamm abwäscht. Die Poren der Haut sollen vielmehr geöffnet werden, damit die eingedrungenen Krankheitserreger wieder aus dem Körper entweichen. Mit einem kalten Bad würde man lediglich die Poren schließen und damit die Krankheitserreger noch tiefer in den Körper hineintreiben. *Gua Sha*, die Rückenmassage mit einem rauhen Löffel, ist in diesem Fall ein ebenso gutes Hausmittel wie ein Tee, der aus Pfefferminze und weißen Mandeln gebraut wird.

Das dritte Muster einer Invasion von außen ist eine lungenangreifende Windtrockenheit. Die Symptome sind Husten mit geringer Schleimbildung, ein trockener rauher Hals, trockener Mund und Nase, aufgesprungene rissige Lippen, eventuell auch Nasenbluten, eine rote Zunge mit einem spärlichen Belag und wenig Speichel sowie ein fluktuierender, feiner und schneller Puls. Obwohl der chinesische Begriff nur Wind und Trockenheit umfaßt, ist dieses Muster eine Kombination aus Wind, Trockenheit und Hitze. Bei der Behandlung zielt man darauf ab, das Körperäußere zu reinigen, die Hitze zu beseitigen und den trockenen Zustand zu befeuchten. Eine klassische Heilkräutermischung für dieses Hustenmuster ist *Sang Xing Tang* („Morus- und Armeniaca-Absud") in den entsprechenden Abänderungen. Da ich in einer Hochebene bzw. Bergwüste lebe und arbeite, treffe ich dieses Muster bei meinen Patienten recht häufig an. Ich stelle es jedoch nicht oft bei Kleinkindern fest, da sie in der Regel sehr viel Schleim produzieren. Ein Befeuchter oder der gute alte Kochtopf mit dem darübergeworfenen Handtuch, unter dem man seinen Kopf verschwinden läßt, befeuchten die Trockenheit in der Lunge und schaffen Abhilfe.

Das erste innere Hustenmuster bei Kindern ist eine Ansammlung von Schleimhitze in den Lungen. Die Symptome sind Husten, rauher Atem und schleimiger weißer oder gelber Auswurf, zum Teil Fieber, eventuelle auch Hustenanfälle oder -krämpfe, ein dicker weißer Belag auf der Zunge, eine rote Zungenspitze mit roten Rändern sowie ein schlüpfriger, schneller Puls. In der chinesischen Fachliteratur heißt es dazu: „Die Milz ist die Wurzel der Schleimproduktion, die Lungen hingegen der Ort, an dem der Schleim abgelagert wird." Wir haben eingangs gesehen, daß die Milz bei Kindern von Natur aus noch schwach ist und sich deshalb leicht Schleim bilden und ansammeln kann. Wir wissen zudem, daß zwischen Milz und Lungen eine enge Verbindung besteht, und wenn nun die Lungen aufgrund einer normalen Erkältung ihre volle Funktionstüchtigkeit einbüßen, wird die Milz gerne schwächer als normal. Das ist insbesondere der Fall, wenn das Kind auch noch Zucker oder Süßigkeiten oder kalte Milchprodukte wie Eis oder kühlschrankgekühlten Joghurt gegessen hat. Aus diesem Grund manifestiert sich dieser Krankheitszustand gerne eine paar Tage nach einer Geburtstagsfeier, bei der das Kind mehr Süßigkeiten oder Eis gegessen hat als gewöhnlich.

Die Behandlung zielt bei diesem Hustentyp darauf ab, die Hitze zu beseitigen, den Schleim umzuwandeln und dem Husten ganz gezielt Einhalt zu gebieten. Bei dieser Schleimhitzeansammlung in den Lungen ist es ganz besonders wichtig, daß das Kind eine gesunde, leichte Kost erhält, die insbesondere Zucker und Süßigkeiten, Milchprodukte sowie fette und gebratene Speisen ausschließt. Eine Chinesische Massage für Kinder ist hier sehr hilfreich, und manchmal kann auch Akupunktur die Beschwerden lindern. Eine vernünftige, gesunde Ernährung ist jedoch nicht nur bei diesem Muster, sondern bei so gut wie allen hier beschriebenen Hustenmustern die absolute Voraussetzung. Wie heißt es doch in der chinesischen Fachliteratur: „Die Milz ist die Wurzel der Schleimproduktion und die Lungen sind der Ort, an dem er sich ansammelt". Und sobald wir das Wort Milz lesen, wissen wir sofort, daß nach der Chinesischen Medizin eine gesunde Ernährung bei der Vorbeugung und der Behandlung dieses Zustands eine wichtige Rolle spielt.

Das zweite Muster ist eine Hitzeansammlung in den Lungen und im Magen. Charakteristisch dafür ist ein Husten mit vermehrt gelbem, klebrigen Auswurf. Der Husten kann sogar so stark sein, daß er Brechreiz verursacht, und wenn es zu Erbrechen kommt, ist das Erbrochene häufig mit klebrigem Schleim vermengt. Das Gesicht des Patienten ist gerötet, Hände und Füße sind heiß; das kranke Kind ist leicht erregbar, weint oder schreit schnell, schläft schlecht und strampelt sich häufig frei. Der Stuhl ist entweder trocken und hart oder grünlich und breiig bzw. kann zwei- bis dreimal täglich auch als Durchfall erscheinen. Der Urin ist gelber als gewöhnlich und geringer in der Menge. Die Zunge weist rote Ränder sowie einen dicken, gelben, pelzartigen Belag auf der Spitze auf. Der fluktuierende Puls geht schnell.

Auch dieses Muster läßt sich auf ein Übermaß an fetten, gebratenen Speisen, Zucker und Süßigkeiten oder schlicht und ergreifend auf „Überfressen" zurückführen. Das unverdaute Essen bleibt im Magen-Darm-Trakt liegen, gärt und verwandelt sich in üble, d. h. pathologische Hitze. Diese Hitze strömt dann nach oben und sammelt sich in den Lungen an, was die Lungenfunktion beeinträchtigt. Darüber hinaus wird auch das Herz gestört, was wiederum die leichte Erregbarkeit und die locker sitzenden Tränen erklärt. Die Behandlung zielt daher darauf ab, die Hitze aus Magen und Lungen zu beseitigen und dem Husten Einhalt zu gebieten. Neben den entsprechenden chinesischen Heilkräutern, die der Fachmann bei diesem Muster verschreibt, ist auch eine Chinesische Massage für Kinder zur Beseitigung des Nahrungsstaus im Magen ausgesprochen nützlich. Es versteht sich von selbst, daß in diesem Fall auch die Ernährung umgestellt werden muß und sämtliche Süßigkeiten, Zukker, fette und fritierte Speisen gänzlich gestrichen werden. Die Eltern sollten daran denken, daß zu den verbotenen Nahrungsmitteln natürlich auch Chips, Pommes Frites, Hot Dogs, Hamburger und ähnliches zählen.

Das dritte Muster ist eine Milzfeuchte in Verbindung mit Lungenhitze. Die Symptome sind Husten mit reichlich weißem Schleim, Atemschwierigkeiten, ein starkes erstickendes Spannungsgefühl in der Brust, Schnupfen, Sabbern, starkes Schwitzen, Appetitmangel, Blässe, schlaffe Muskulatur, ein allgemein schlechter Gesundheitszustand mit häufigen Krankheitsanfällen, ein Hang zu Durchfall, im Krankheitsfall ein starkes Bedürfnis nach kalten Getränken, eine blasse Zunge mit einem weißen feuchten Belag sowie ein weicher schlüpfriger Puls. Diese Symptome sind einerseits auch auf eine Kombination aus Hitze und Schleimansammlung in den Lungen zurückzuführen, gleichzeitig aber auch auf eine deutlich schwächere Milz. Bei Kindern im Windelalter wird die blaue Vene an der Nasenwurzel zwischen den Augen deutlich sichtbar. Wie bei den oben beschriebenen Beispielen werden Kinder auch in diesem Fall krank, weil ihre Ernährung nicht stimmt. Die Krankheitsverursacher sind Zucker und Süßigkeiten, Milchprodukte sowie kalte Getränke und Speisen wie eben Eis. Kinder werden aber auch gerne krank, wenn sie übermüdet sind. Im tatsächlichen Krankheitsfall sollte die Betonung auf einer Stärkung der Milz, einer Umwandlung des Schleims sowie der Beseitigung des Hitzezustands und des Hustens liegen. Sobald der Husten nachgelassen hat, ist es wichtig, daß man mit richtiger Ernährung und entsprechenden Massagetechniken die Milz kräftigt und die Verdauung insgesamt wieder stabilisiert.

Das vierte Muster ist Schleimhitze, die das Yin verletzt. Mit Yin sind in diesem Fall die gesunden, feuchtigkeitsspendenden Flüssigkeiten der Lungen gemeint. Hat sich einmal Schleim und Hitze in den Lungen des Kindes gebildet, so kann diese Hitze, sofern dieser Zustand nicht korrekt behandelt wurde und über längere Zeit anhält, die gesunden Flüssigkeiten der Lunge erschöpfen und aufbrauchen. Aus diesem Grund ergibt sich hier eine kombinierte Symptomatik aus Hitze, Schleim und Trockenheit. Das Kind hat in diesem Fall z. B. einen lange anhaltenden Husten mit geringer oder fast keiner Schleimbildung. Der Husten äußert sich nachts stärker als am Tag. Die Kehle ist trocken, die Zunge rot, wobei letztere auf ihrer Oberfläche zu wenig Belag bzw. Speichel aufweist. Der feine Puls geht schnell.

In diesem Fall versucht man, das Yin anzureichern und zu kräftigen, die Hitze zu beseitigen, den Schleim umzuwandeln und den Husten zu stoppen. Dieses Muster tritt glücklicherweise meiner Erfahrung nach nicht allzu häufig auf. Außerdem kennt die chinesische Medizin in diesem Fall wirkungsvolle Behandlungsmethoden, während die westliche Schulmedizin oftmals nichts dagegen ausrichten kann. Wenn man außerdem die drei vorhergehenden Muster sofort gründlich behandelt, wird sich der Husten gar nicht erst zu diesem vierten Muster ausweiten. Die Fälle, in denen dieses Muster dennoch auftritt, sind selten, zum Beispiel nach einem wochenwährenden Keuchhusten. Ein einfaches chinesisches Hausmittel, das bei diesem Muster Abhilfe schafft, ist ein Tee aus Brunnenkresse und weißen Mandeln. Brunnenkresse wirkt kühl, beseitigt die Hitze und befeuchtet die Lungen, während Mandeln den Schleim umwandeln, den Darmtrakt befeuchten und den Husten stoppen. Ein weiteres einfaches Hausmittel ist ein Tee, der aus Feigen (möglichst aus frischen Feigen) zubereitet wird, denn Feigen lösen ebenfalls die Hitze und befeuchten Lunge und Darmtrakt.

Das fünfte innere Hustenmuster ist ein Lungen-Chi-Mangel. Zu den Symptomen zählen Husten mit dünnem weißen oder klarem wäßrigen Auswurf, ein schwacher Husten, der durch Sprechen oder bei körperlicher Anstrengung stärker wird, Atemnot, die oftmals mit Keuchen oder Pfeifen einhergeht, allgemeine Niedergeschlagenheit, Energiemangel, allgemeiner Ermüdungszustand, spontanes Schwitzen bei der kleinsten Anstrengung, starke Erkältungsanfälligkeit, eine blasse Gesichtsfarbe, eine blasse Zunge mit einem dünnem weißen Belag sowie ein tiefliegender schwacher Puls. Die Behandlungsprinzipien sind bei diesem Muster wie folgt: Stärkung und Aufbau des Lungen-Chi, Umwandlung des Schleims und Lösen des Hustens. Dieses Muster kommt vorwiegend bei Kindern vor, die schon über einen langen Zeitraum krank sind. Diese Kinder sollten eine leicht verdauliche Kost aus gekochten, warmen und nahrhaften Speisen erhalten, wie etwa Suppen, Brühen und Eintöpfe. Auch die Rückenmassage entlang der Wirbelsäule kann die Widerstandskraft und den allgemeinen Gesundheitszustand verbessern. Da die Traditionelle Chinesische Medizin eine ganze Reihe von Heilkräutern kennt, die das Chi aufbauen und kräftigen, bietet die Chinesische Kräuterheilkunde bei diesem Hustentypus ausgesprochen wirkungsvolle Behandlungsmöglichkeiten, die oftmals noch in den Fällen helfen, gegen die die moderne westliche Schulmedizin wenig ausrichten kann.

Das sechste Muster ist Husten aufgrund von Lungen- und Nierenmangel. Das Kind leidet dabei an einem pfeifenden Husten und sondert große Mengen dünnen weißen Schleims ab, begleitet von starkem Schwitzen. Oft verspüren die Kinder Atemnot, Erstickungsgefühle und schnappen nach Luft oder haben Asthma. Beim Atemholen flattern die Nasenflügel. Jede körperliche Anstrengung führt zu pfeifenden Atemgeräuschen. Das Kind blickt lustlos drein, verspürt keinen Antrieb, sich zu bewegen und scheut die Kälte. Hände und Füße sind kalt; das Kind muß häufig Urin ablassen, der wäßrig und klar ist. Manchmal kommt es bei Hustenanfällen auch zu Inkontinenz, d. h. das Kind kann Urin oder Stuhl nicht halten. Das Gesicht wirkt fahl, die Zunge ist blaß, der Puls tiefliegend und fein oder langsam, schwach und ebenfalls tiefliegend. Die Chinesische Medizin behandelt diesen Hustentyp, indem sie die Lungen stärkt und die Nierenfunktion anregt. Das geschieht mit Hilfe von chinesischen Heilkräutern. Dieses Muster sieht man häufig bei Kindern, die an chronischem Bronchialasthma leiden oder auch an allergisch verursachtem Asthma. Ein einfaches chinesisches Hausmittel für diesen Mustertyp sind Maulbeeren, die zusammen mit einem Schuß Honig auf kleiner Flamme zu einem Sirup verkocht werden. Von diesem Sirup verabreicht man den kleinen Patienten dann zweimal täglich jeweils zwei Teelöffel. Auch frische Pfirsiche tun dem Kind in diesem Fall sehr gut.

Das siebte und letzte innere Hustenmuster bei Kindern ist ein kombinierter Lungen- und Milzmangel, der folgende Symptome aufweist: Husten mit dünnem weißlichen Schleim, Atemnot, Pfeifen, starke Erkältungsanfälligkeit, Appetitmangel, allgemeiner Erschöpfungszustand, Kraftlosigkeit, eine dicke bleiche Zunge, an deren Rändern der Abdruck der Zähne sichtbar ist, ein schleimiger, fettschmieriger weißer Zungenbelag sowie ein tiefliegender entspannter (beinahe langsamer) Puls. Ursache für diesen Zustand ist ein anlagebedingter Milzmangel, der durch übermäßigen Verzehr von Zucker und Süßigkeiten sowie von kalten Speisen und Getränken verstärkt wird. In gewisser Hinsicht ähnelt dieser Typus dem vorhergehenden Muster, da auch in diesem Fall die Symptome des Patienten vorwiegend auf Chi-Mangel zurückzuführen sind. Bei diesem Typus hier sind es jedoch die Lunge und die Milz, die an einem Mangelzustand leiden, wohingegen es bei dem vorherigen Muster die Lungen und Nieren waren. Die Behandlung zielt in diesem Fall darauf ab, die Lungen wieder aufzubauen und die Milz zu stärken. Da die Milz eine so bedeutende Rolle für den Chi-Aufbau im Körper spielt, müssen Eltern darauf achten, daß Kinder, die an diesem Muster leiden, eine gesunde Ernährung bestehend aus gekochten, warmen, reinen und nahrhaften Speisen erhalten. Bei Kleinkindern wirkt sich außerdem eine einmal täglich angewandte Rückenmassage entlang der Wirbelsäule positiv auf ihren Zustand aus. Einige TCM-Ärzte und Akupunkturspezialisten zeigen den Eltern in diesem Fall auch, wie sie bestimmte Akupunkturpunkte täglich moxen können. Bei dieser Moxibustion werden spezielle chinesische Kräuter über Akupunkturpunkten abgeglüht, um damit die mit diesen Punkten in Verbindung stehenden Organe und ihre Funktion zu stärken. Chinesische Ärzte verwenden zu diesem Zweck besonders gerne Gerste, da Gerste sowohl die Milz als auch die Lungen kräftigt.

Der werte Leser kann daran erkennen, daß bei einem Großteil dieser inneren Hustenmuster die Milz und damit eine gesunde Ernährung eine Schlüsselrolle spielt. „Die Milz ist die Wurzel der Schleimproduktion, die Lungen hingegen sind der Ort, wo der Schleim abgelagert wird." Dieser chinesische Zweizeiler ist meiner Erfahrung nach der Schlüssel zur richtigen Diagnose und Behandlung von kindlichem Husten. Man kann Husten bei Kindern vermeiden, indem man ihnen vorwiegend warme, gekochte Speisen, die weder zu fett noch zu scharf gewürzt sind, verabreicht und ein Übermaß an Zucker und Süßigkeiten aus ihrem Speiseplan streicht. Insbesondere Milchprodukte fördern die Bildung von Schleim, da sie im Körper feucht und naß wirken. Kühlschrankkalte oder gefrorene Speisen und Getränke hingegen schädigen bei Kindern leicht die ohnehin noch sehr empfindlichen Organe Milz und Magen. Es kommt so häufig vor, daß sich Kinder „eine Erkältung" zuziehen oder Husten bekommen, nachdem sie zuckerhaltige Speisen, Süßigkeiten, kalte Getränke und Eiscreme gegessen haben, daß ich es mir zur Gewohnheit gemacht habe, alle Eltern, die mit hustenden Kindern zu mir kommen, zunächst einmal zu fragen, ob ihr Kind vor kurzem diese Art von Speisen zu sich genommen hat. In den Vereinigten Staaten kann ich direkt nach Halloween, wenn Kinder ganze Tüten voller Süßigkeiten und Zuckerwerk in sich hineinstopfen, einen starken Anstieg von Husten und Erkältungsfällen verzeichnen. Ich habe die Erfahrung gemacht, daß sich Husten oftmals vermeiden läßt, wenn die Eltern die Mengen an Zucker und Süßigkeiten, die ihre Kinder zu sich nehmen, eingrenzen. Abschließend sei hier noch erwähnt, daß sich ein Übermaß an Schleim mit folgendem Hausmittel leicht behandeln läßt: 60 bis 85 Gramm rohe Erdnüsse werden ohne Haut kurz in Wasser zu einer Suppe gekocht und dann gegessen. Der Traditionellen Chinesischen Medizin nach wirken rohe Erdnüsse nämlich schleimlösend, wohingegen geröstete Erdnüsse die gegenteilige Wirkung haben, nämlich die Schleimbildung anregen. Das sollte Eltern zu denken geben, wenn ihre Kinder häufig geröstete Erdnüsse knabbern.

Keuchhusten

Keuchhusten ist eine akute, ansteckende Infektion der oberen Atemwege mit sogenannten Bordatella-pertussis-Bakterien – zumindest nach der westlichen Schulmedizin. Daneben gibt es noch eine harmlosere Form dieser Krankheit, die von den Bordatella-parapertussis-Bakterien verursacht wird. Diese harmlosere Abart nennt man Parapertussis. Kinder unter sieben Jahren sind besonders anfällig für Keuchhusten, der vorwiegend gegen Winterende oder zu Frühlingsbeginn auftritt. Die meisten Kinder in den westlichen Industrieländern sind zwar gegen Keuchhusten geimpft, doch aufgrund der lange währenden Diskussion bezüglich der Sicherheit und Wirksamkeit des Keuchhustenimpfstoffs lassen eine Reihe von Eltern ihre Kinder nicht mehr dagegen impfen, und es gibt Fälle von Keuchhusten in den meisten westlichen Ländern. Der Begriff Keuchhusten rührt von dem keuchenden Geräusch her, das die Kinder am Ende eines Hustenanfalls von sich geben. Gewöhnlich husten sie etwa fünf bis fünfzehn Mal hintereinander und holen dann schnell tief Luft, was als Keuchen empfunden wird. Keuchhusten tritt entweder in Anfällen auf oder wird krampfartig. In China nennt man Keuchhusten *Bai Ri Ke*, den „Hundert-Tage-Husten", weil er, wenn er nicht behandelt wird, drei Monate oder eben hundert Tage andauert. Keuchhusten ist eine gravierende, aber nicht notwendigerweise lebensbedrohliche Krankheit. Wenn allerdings Säuglinge unter sechs Monaten Keuchhusten bekommen, muß man darauf achten, daß sie ihren Schleim und das Erbrochene nicht einatmen und sich damit selbst ersticken. Ansonsten besteht die Gefahr von Keuchhusten darin, daß er sich, sofern er nicht richtig und gründlich ausgeheilt wird, zu einer Lungenentzündung entwickeln kann. Wird Keuchhusten jedoch professionell und korrekt mit chinesischen Heilkräutern behandelt, sollte es gar nicht so weit kommen.

Nach der Chinesischen Medizinlehre tritt Keuchhusten bei Kindern auf, die bereits eine Menge Schleim in ihrem Körper angesammelt haben, und wir haben ja bereits gesehen, daß eine derartige Schleimansammlung auf eine schlechte Milzfunktion zurückzuführen ist, die ihrerseits durch eine falsche Ernährung hervorgerufen oder verschlimmert wird. Dringen dann noch Krankheitserreger von außen in den Körper des Kindes ein, verschlimmern sich der bereits angesammelte Schleim und die eingedrungenen Krankheitserreger gegenseitig. Eltern sollten daher von Anfang an darauf achten, daß die Milz ihres Kindes bei voller Funktionstüchtigkeit ist und die Schleimproduktion auf ein Minimum reduziert wird, denn auf diese Weise können sie dazu beitragen, daß ihr Kind erst gar keinen Keuchhusten entwickelt.

In der Behandlung von Keuchhusten unterscheidet die Traditionelle Chinesische Medizin drei unterschiedliche Stadien: Das Anfangsstadium der Krankheit, das gewöhnlich zehn bis zwanzig Tage dauert, das mittlere Stadium, das zwischen vierzig und sechzig Tage anhält, und das Genesungsstadium, das wiederum zwanzig bis dreißig Tage dauert. Das Muster, das man mit dem ersten Stadium in Verbindung bringt, wird als „Kälte und Schleim, der die Lungen angreift" bezeichnet. Symptomatisch sind ein krampfartiger Husten mit dünnem wäßrigen Schleim, Schnupfen mit klarem, wäßrigen Ausfluß, ein fluktuierender enger Puls sowie ein weißglänzender Zungenbelag. Die Behandlung zielt darauf ab, die Lungen zu erwärmen und den Schleim umzuwandeln, den Chi-Fluß wieder zu normalisieren und den anormalen Chi-Auftrieb wieder nach unten zu lenken. Das Nachuntenlenken des anormalen Chi-Auftriebs bezieht sich in diesem Fall auf den Husten. Das Lungen-Chi sollte nach unten fließen, wohingegen es bei Husten anormal nach oben strömt. Chinesische Ärzte verschreiben bei diesem Keuchhustenmuster gewöhnlich eine Variante des *Xiao Qing Long Tang* („Kleiner blaugrüner Drachenabsud").

Im zweiten Stadium ist das Hauptmuster eine den Lungen anhaftende Schleimhitze. Das bedeutet, daß sich Schleim und Hitze in den Lungen abgelagert haben und nicht mehr von alleine weggehen. Die Symptome dieses Musters sind ein krampfartiger Husten mit einem dicklichen, pastenartigen Auswurf, der sich nicht leicht ausspucken läßt und in diesem Fall auch mit Blut vermischt sein kann. Ist der Zustand des Patienten gravierender, kann er auch Blut ausspucken oder es kommt zu starkem Nasenbluten. Typisch sind ferner ein trockener Mund mit trockener Zunge, starker Durst mit Verlangen nach Wasser, ein schlüpfriger, schneller Puls sowie ein trockener Zungenbelag. Mit der Behandlung versucht man, die Hitze zu beseitigen, die Lungen zu reinigen, den Husten zu lösen und den Schleim umzuwandeln. Eine Kräutermischung, die in diesem Fall gerne verschrieben wird, ist *Sang Bai Pi Tang* („Morusrindenabsud") und ihre entsprechenden Varianten. Ein einfaches chinesisches Hausmittel bei Keuchhusten sind 15 frische Ringelblumen (nur die Blüten), die in Wasser zu einem Tee gekocht werden, den man dann mit etwas braunem Zucker versetzt trinkt. Im dritten Stadium hingegen hat man das Problem, daß die Krankheit schon sehr lange andauert und damit auch das gesunde Chi des Kindes beschädigt hat. Je nachdem, ob dem Kind entweder zu heiß wird oder zu kalt, was es ißt, wie groß es ist, wie hoch das Fieber war und wie lange es anhält, unterscheidet man in diesem Stadium zwischen zwei Hauptmustern: ein kombinierter Lungen-Milzmangel zum einen und ein Yin-Mangel zum anderen. Das kombinierte Lungen-Milzmangelmuster zeichnet sich durch eine extrem lange Genesungszeit, einen schwachen Husten, wenig wäßrigen Schleim, Atemnot, schwache

Stimme, Unlust zu sprechen, da jede verbale Äußerung meist von einem Hustenanfall gefolgt ist, einem blassen weißlichen Teint, Appetitmangel, einem feinen schwachen Puls und einer blassen Zunge mit einem dünnen Belag aus. Behandlungsprinzipien sind eine Kräftigung der Milz, die Harmonisierung der Mitte, das Nähren der Lungen und das Lösen des Hustens. Gewöhnlich verschreibt man in diesem letzten Keuchhustenstadium eine Kräutermischung namens *Ren Shen Wu Wei Zi Tang* („Absud aus Ginseng und Schizandra"), die bei Bedarf entsprechend abgeändert wird. Kinder, die dieses Muster aufweisen, benötigen viel Ruhe und Schlaf; eine gesunde, leicht verdauliche Ernährung aus gekochten, warmen und nahrhaften Speisen ist Voraussetzung. Die Kinder sollten weder Süßigkeiten noch Zucker noch rohe, kalte, gekühlte oder gefrorene Speisen und Getränke erhalten. Ein TCM-Arzt oder Akupunkturspezialist kann den Eltern der kleinen Patienten auch zeigen, wie sie sie zuhause täglich moxen können. Eine täglich mehrmals ausgeführte Rollmassage entlang der Wirbelsäule nach oben stärkt ebenfalls die Widerstandskräfte und die allgemeine Konstitution.

Das Yin-Mangelmuster hingegen zeichnet sich durch einen schwachen, trockenen Husten, warme oder heiße Handinnenflächen und Fußsohlen, unruhigem Schlaf mit mehrmaligem Aufwachen des nachts, oft auch mit Schweißausbrüchen verbunden, allgemeiner Reizbarkeit, rot angelaufenen Wangen, besonders gegen späten Nachmittag und Abend, trockene rote Lippen, rote Zunge mit einem dünnen gelben Belag und einem schnellen, feinen, kraftlosen Puls aus. Die Chinesische Medizin behandelt dieses Muster, indem sie das Yin anreichert und die Lungen befeuchtet. Es gibt eine Reihe von chinesischen Kräutermischungen, die diesen Zweck erfüllen, stellvertretend sei hier *Qing Zao Jiu Fei Tang* („Absud zur Beseitigung der Trockenheit und Rettung der Lungen") erwähnt, der je nach Fall entsprechend ergänzt oder reduziert wird.

Interessanterweise haben chinesische Ärzte in letzter Zeit ihre Rezepte gegen Keuchhusten mit krampflösenden Mitteln ergänzt. Es handelt sich hierbei um Zutaten und Heilkräuter, die gewöhnlich bei Krämpfen, Zittern und Lähmungserscheinungen eingesetzt werden und eigentlich nicht für Husten- oder Lungenprobleme gedacht sind. Die modernen chinesischen Ärzte haben jedoch klar die krampfartigen Eigenschaften des Keuchhustens erkannt und aus diesem Grund die krampflösenden Zutaten hinzugefügt. Diese neuen Ingredienzien machen die Heilkräutermischungen für Keuchhusten offensichtlich wirkungsvoller.

Linderung läßt sich jedoch auch mit ein paar einfachen chinesischen Hausmitteln verschaffen: 1) eine Suppe aus gekochten Karotten und roten Datteln (erhältlich in Orientläden), 2) bei Keuchhusten mit starker Schleimbildung jeden Morgen eine gedünstete Zitrone mit etwas Zucker essen, 3) alle zwei Stunden zwei Teelöffel einer zehn- bis zwanzigprozentigen Knoblauchlösung einnehmen (flüssiger Knoblauch ist in Apotheken erhältlich).

Lungenentzündung

Lungenentzündung tritt gewöhnlich bei Kindern unter zwei Jahren bevorzugt im Winter und im Frühjahr auf. Die allgemeinen Symptome sind Fieber, Husten mit Auswurf, Kurzatmigkeit, Nasenflügelatmung sowie zyanotische blauviolette Lippen. Im Gegensatz zu Bronchitis oder Bronchialasthma erkennt man eine Lungenentzündung an blasigen Rasselgeräuschen, die bei einem Abhören mit dem Stethoskop wahrnehmbar sind, sowie auf den Röntgenbildern an einem milchigen Fleck auf den Lungenflügeln. Das bedeutet, daß nur ein westlicher Arzt Lungenentzündung diagnostizieren kann. Die Traditionelle Chinesische Medizin kennt für Lungenentzündung keine spezielle Krankheitskategorie. Sie wird gewöhnlich je nach vorliegendem Muster unter dem Überbegriff Husten behandelt.

Lungenentzündung, auch Pneumonie genannt, wird entweder durch eine Infektion mit Pneumokokken (Streptococcus pneumoniae) oder einer Weiterentwicklung einer bereits vorliegenden Infektion der oberen Atemwege, die nicht rechtzeitig oder nicht korrekt behandelt wurde, verursacht. So können z. B. nicht ausgeheilte Masern oder ein Keuchhusten zu Lungenentzündung führen. Die

Chinesische Kinderheilkunde unterscheidet bei Lungenentzündung sechs Hauptmuster; vier davon sind Überschußmuster, zwei Mangelmuster.

Das erste Muster ist Windkälte. Die Symptome sind Fieber mit geringer Schweißproduktion, eine Abneigung gegen Kälte, Husten, Atemnot, kaum Durst, dünner weißer Schleimauswurf, ein weißlicher oder schleimig-weißer Belag auf der Zunge sowie ein fluktuierender enger Puls. Die Behandlungsprinzipien sind darauf ausgerichtet, das Äußere des Körpers mit scharf und warm wirkenden Medikamenten zu heilen, die Lungen zu reinigen und den Schleim umzuwandeln. Ein Standardrezept für diesen Pneumonietypus lautet *San Ao Tang* („Drei-Dreher-Absud"), das je nach Fall entsprechend abgewandelt werden kann. Zusätzlich zur Verabreichung chinesischer Heilkräuter kann man den Heilungsprozeß mit Hilfe von *Gua Sha* (Schaben des oberen Rückenbereichs) sowie mit Akupunkturtechniken unterstützen. Der Patient sollte zum besseren Schwitzen und zur Vermeidung einer weiteren Erkältung gut eingedeckt bleiben. Eine heiße verdünnte Reissuppe bringt ihn ebenfalls zum Schwitzen und verstärkt die Wirkung der Heilkräuter. Ein Hausmittel, daß bei allen Infektionen des oberen Resperaktionstraktes, dem ein Windkältemuster zugrundeliegt, hilft, ist Lauch, der in Stücke geschnitten mit etwas frischem Ingwer und braunem Zucker gekocht wird. Da diese Zutaten scharf und warm wirken, können sie damit das Körperäußere, sprich die Poren, öffnen und die Kälte vertreiben.

Das zweite Muster ist Windhitze. Windhitze tritt wesentlich häufiger auf als Windkälte. Die typischen Symptome sind Fieber mit zumindest leichtem Schwitzen, starker Durst, Husten mit klebrig gelbem Auswurf, eine rote Zunge mit einem dünnen gelblichen Belag sowie ein fluktuierender schneller Puls, der leicht wegrutscht. Die Behandlung zielt darauf ab, Wind und Hitze zu vertreiben, die Lungen zu reinigen und den Schleim umzuwandeln. Normalerweise verabreicht der chinesische Arzt in diesem Fall *Yin Qiao San* („Lonicera- und Forsythia-Pulver)" in Verbindung mit *Ma Xing Shi Gan Tang* („Absud aus Ephedra, Armeniaca, Gips und Süßholz") sowie deren entsprechenden Varianten. *Gua Sha* im oberen Rükken- und Schulterbereich öffnet die Poren und reinigt damit das Äußere; das Fieber, das bei diesem zweiten Typus höher ist als beim ersten, läßt sich senken, indem man die Wirbelsäule hinunter massiert. Bei jeder Erkrankung der oberen Atemwege mit klassischem Windhitzemuster (und dieses Muster wird der werte Leser mehrmals in diesem Kapitel über Diagnose und Behandlung vorfinden), kann man sich einen Tee aus frischer Pfefferminze zubereiten und ihn über den Tag verteilt trinken. Der Chinesischen Kräuterheilkunde nach wirkt Pfefferminze scharf und kühlend; sie öffnet die Poren, reinigt das Äußere und beseitigt Hitze. Grüne Minze hingegen wirkt scharf und warm und sollte daher nur bei Windkältemuster wie oben beschrieben verwendet werden. Das dritte Muster, das meiner Erfahrung nach bei Lungenentzündung bei Kindern am häufigsten auftritt, ist eine Schleim- und Hitzeansammlung in den Lungen. Wir haben dieses Muster bereits unter dem Kapitel Husten besprochen. Der Unterschied in der Behandlung liegt lediglich darin, daß man im Falle einer Lungenentzündung stärker wirkende Zutaten benötigt und besondere Heilkräuter zusetzt, die speziell gegen Lungenentzündung wirken, wie z. B. Herba houttuynia cordatae (*Yu Xing Cao*).

Das vierte Muster ist eine in den Lungen stagnierende Schleimfeuchte. Kennzeichnend für dieses Lungenentzündungsmuster bei Kindern sind folgende Symptome: Husten mit reichlich weißem Auswurf, Kurzatmigkeit, Pfeifen und Atemnot, Schleimrasseln im Rachenraum, eine gelbliche Gesichtsfarbe, blasse Lippen, ein abwechselnd heißes und kaltes Gesicht, eine rote Zunge mit einem schleimigen Belag sowie ein schlüpfriger Puls. Die Behandlungsprinzipien lauten in diesem Fall Trocknen der Feuchte, Schleimumwandlung sowie Beseitigung von Husten und Pfeifen. Die Chinesische Kräuterheilkunde kennt für diesen Typus ein Standardrezept, nämlich eine Mischung aus *Xiao Qing Long Tang* („Kleiner blaugrüner Drachenabsud") und *Er Chen Tang* („Absud mit verschiedenaltrigen Zutaten") sowie deren entsprechende Varianten. Das Muster unterscheidet sich von dem vorherigen insofern, daß hier weniger Hitze und dafür mehr Schleim und Feuchte vorliegen. Wie wir bereits gehört haben, ist „die Milz die Wurzel der Schleimproduktion, während in den Lungen der Schleim abgelagert wird." Bei diesem Muster ist daher eine einfache, gesunde, leicht verdauliche Kost ebenso wichtig wie gekochte, warm wirkende Nahrungsmittel, die die Milz stärken. Milchprodukte sind ebenso wie Zucker, Süßigkeiten oder auch rohe, kalte, kühlschrankgekühlte und tiefgefrorene Speisen und Getränke absolut zu vermeiden. Die gelbliche Gesichtsfarbe und die blassen Lippen signalisieren klar, daß die Feuchtigkeit und die Schleimbildung auf eine Milzschwäche zurückzuführen sind.

Wenn eine Lungenentzündung nicht schnellstmöglich behandelt wird oder wenn die Erkrankung der oberen Atemwege, die zur Lungenentzündung geführt hat, sich schon über geraume Zeit hinschleppt, kann es vorkommen, daß die pathologische Hitze das gesunde Chi des Körpers angegriffen und aufgebraucht hat. Der Körper ist damit zu schwach, als daß er die Infektion wirkungsvoll bekämpfen könnte. Je nachdem, wie hoch das Fieber war, wie lange es sich hinzog und abhängig von der Gesamtkonstitution des Patienten kann bei hartnäckigen Fällen, die nicht abheilen, eines der folgenden beiden Mangelmuster vorliegen:

Das erste Mangelmuster ist ein Yin-Mangel mit innerer Hitze. Wir haben dieses Muster bereits unter dem Kapitel Husten besprochen; Behandlungsprinzipien und Behandlungsmethoden sind daher im Grunde die gleichen wie oben beschrieben. Das zweite Muster ist ein Chi-Mangel der Lungen und der Milz, ein Muster, das ebenfalls unter Husten abgehandelt wurde. Beim Yin-Mangelmuster ist eine geringe Menge Milchprodukte und Süßspeisen sogar zu empfehlen. Wichtiger jedoch sind nahrhafte Fleischbrühen und Eier. Mit anderen Worten, Patienten mit einem Yin-Mangelmuster benötigen etwas mehr tierisches Eiweiß, das den Genesungsprozeß fördert. Bei einem Lungen- und Milz-Chi-Mangelmuster sind hingegen Süßigkeiten ebenso wie rohe, kalte, gekühlte und tiefgefrorene Speisen und Getränke zu vermeiden. Bei beiden Mustern ist absolute Ruhe unerläßlich.

Bei Lungenentzündung mit Windkälte, Schleimfeuchte oder Lungen- und Milzmangelmuster hilft Hahnenfuß (Ranunculus), wenn er im Verhältnis zehn zu eins mit Zucker verrieben und gemahlen wird.

(Hahnenfuß ist eine häufig anzutreffende winterharte Gartenpflanze, die allerdings nie innerlich eingenommen werden sollte). Die daraus entstehende Paste wird dann auf die Stelle auf der Brust aufgetragen, an der auf dem Röntgenbild ein Schatten zu erkennen war. Die Paste sollte allerdings vor Verwendung ein bis zwei Monate gelagert sein, da sie andernfalls Blasen auf der Haut hervorrufen kann. Da jedoch niemand ein bis zwei Monate im voraus weiß, ob er einmal diese Paste bei einer eventuell auftretenden Lungenentzündung benötigt, verwendet man sie einfach frisch, wobei man sich darüber im klaren sein muß, daß sich tatsächlich Blasen bilden können. Solange sich die Blasen jedoch nicht entzünden, hat diese Hautreizung einen heilenden Effekt auf die Lungenentzündung.

Gerade für Eltern ist es besonders interessant zu wissen, daß man Lungenentzündung mit Hilfe der Traditionellen Chinesischen Medizin heilen kann und nicht notwendigerweise auf Antibiotika zurückgreifen muß. Wie der verehrte Leser inzwischen gemerkt hat, betone ich immer wieder, daß man Antibiotika nur im äußersten Notfall verwenden soll. Viele Eltern und ihre Kinderärzte glauben, daß sich Lungenentzündung nur mit Antibiotika kurieren läßt. Die Chinesische Kräuterheilkunde bietet jedoch dazu eine echte Alternative – vorausgesetzt, die Behandlung wird auch von einem westlichen Schulmediziner streng überwacht. Sollten Antibiotika tatsächlich unerläßlich sein, können sie eingesetzt werden.

Asthma

Asthma ist eine vorwiegend allergisch bedingte Krankheit. Sie tritt am häufigsten bei Kindern über vier Jahren auf, vorwiegend im Frühjahr und im Herbst. Kennzeichnend sind wiederholte Anfälle von Spannungs- und Engegefühl in Brust und Hals gefolgt von Pfeifen, Atemnot und Atemschwierigkeiten. Bei einem Anfall kann das Kind nicht ruhig auf dem Rücken liegen bleiben, sondern muß sich oft aufsetzen, um Luft zu holen und die Atmung zu erleichtern. Oftmals bessert sich das Asthma mit dem Heranwachsen des Kindes von allein, kann aber im Erwachsenenalter wieder auftreten, wenn die betreffende Person unter Streß steht, abgekämpft ist, sich falsch ernährt oder einfach alt wird. Auf diese Weise kann Asthma, das im Kindesalter beginnt, zu einem lebenslangen Problem werden.

Typisch für Asthma ist ebenfalls, daß zwischen den einzelnen akuten Anfällen immer wieder Zeiten der vorübergehenden Besserung liegen – ein wichtiges Entscheidungkriterium für die Musterdiagnose und Behandlungsprinzipien nach TCM. Bei akuten Anfällen unterscheidet die Chinesische Medizin zwei Muster: Das von Natur aus heiße Asthma und das von Natur aus kalte Asthma. Die Symptome des heißen Asthmas sind Husten, Keuchen und Pfeifen, ein dicklicher gelblicher Auswurf, Fieber, ein rotes Gesicht, ein Druck- und Engegefühl in der Brust, starker Durst, rötlich-gelber Urin, trockener Stuhl oder Verstopfung, eine rote Zunge mit einem dünnen gelblichen oder schleimigen Belag sowie ein schneller, leicht wegrutschender Puls. Die Behandlungsprinzipien sind auf eine Säuberung der Lungen, Schleimumwandlung und Stabilisierung des Asthmas ausgerichtet. Dieser Zustand wird häufig mit der chinesischen Heilkräutermischung *Ding Chuan Tang* („Absud zur Beruhigung des Asthmas") behandelt. Da es sich hierbei um ein Hitzeschleimmuster handelt, ist alles, was die Hitze im Körper steigern würde, wie etwa scharf gewürzte Speisen oder alles, was die Schleimbildung fördert, wie fette Speisen, Zucker, Süßigkeiten und Milchprodukte, nicht geeignet.

Ein Asthmaanfall vom kalten Typus hingegen manifestiert sich als Husten mit schnellem Atem, Atemrasselgeräusche im Rachenraum, Husten mit klarem wäßrigen und weißlichem Auswurf einem kalten Körper ohne Schwitzen, eine stumpfe, glanzlose, fahle Gesichtsfarbe, die sogar etwas ins blaugrünliche gehen kann, Kälte in den Gliedern, kein Durst, oder bei Durst nur Lust auf heiße Getränke, ein dünner weißer oder weißlich-schleimiger Belag auf der Zunge sowie ein fluktuierender wegrutschender Puls. Die Behandlungsprinzipien für dieses Muster lauten Erwärmung der Lunge, Schleimumwandlung und Stabilisierung des Asthmas. Eine hierfür geeignete und häufig verschriebene Heilkräutermischung wäre in diesem Fall *Xiao Qing Long Tang* („Kleiner blaugrüner Drachenabsud") in entsprechenden Varianten. Patienten, die an diesem kalten Asthmamuster leiden, müssen warm gehalten werden und dürfen keine kalten, gefrorenen oder gekühlten Speisen zu sich nehmen, ebensowenig Zucker, Süßigkeiten oder Milchprodukte.

In den Perioden vorübergehender Besserung versuchen chinesische Ärzte zukünftige Asthmaanfälle durch Stärkung der körpereigenen Abwehrkräfte und Unterstützung der Gesamtkonstitution zu vermeiden. Hier unterscheidet man zwischen drei Mangelmustern: Lungen-Chi-Mangel, Milzschwäche aufgrund von Chi-Mangel sowie nicht absorbierende Nierenleere. Kennzeichnend für das Lungen-Chi-Mangelmuster ist eine weißlich blasse oder fahle Gesichtsfarbe, Atemnot, geringe Sprechneigung, eine leise zarte Stimme, allgemeiner Erschöpfungszustand, Schweißausbrüche bei Anstrengung oder spontane Schweißausbrüche, Angst vor Kälte, Gliederkälte, eine blasse Zunge mit einem dünnen Belag und ein feiner kraftloser Puls. Die Behandlung zielt hier auf eine Stärkung der Lungen und des körpereigenen Abwehrsystems ab. Das Immunsystem muß wieder so aufgebaut werden, daß es sich gegen Krankheitserreger oder Allergene, die von außen eindringen, wehren kann. In diesen Fällen wird gewöhnlich eine Kräutermischung namens *Yu Ping Feng San* („Jadewindschutzpulver") verschrieben, die im Bedarfsfall ergänzt oder reduziert wird.

Das Milzschwächemuster aufgrund von Chi-Mangel zeigt sich vorwiegend als Husten mit reichlich Auswurf, Appetitmangel, Völlegefühl im oberen Bauchbereich, gelblich-fahler Teint, loser oder breiiger Stuhl, allgemeiner Erschöpfungszustand, Ausmergelung, eine blasse Zunge mit einem dünnen Belag und ein entspannter fast kraftloser langsamer Puls. Bei der Behandlung versucht man die Milz zu kräftigen und den Schleim umzuwandeln. TCM-Ärzte verschreiben in diesem Fall gewöhnlich *Liu Jun Zi Tang* („Sechs-Herren-Absud") in den entsprechenden Abwandlungen. Es versteht sich von selbst, daß auch hier eine richtige Ernährung von größter Bedeutung ist; das Kind sollte sich darüber hinaus viel an der frischen Luft bewegen, um seine Widerstandskräfte aufzubauen und wieder Kraft zu sammeln. Chinesische Ärzte raten außerdem Menschen, die an einer Milzschwäche, Asthma oder anderen Lungenproblemen leiden, nicht zu viele Bananen zu essen, da Bananen als Nahrungsmittel kalt wirken.

Beim nichtabsorbierenden Nierenmangelmuster sind die Symptome ein fahler weißer Teint, kalter Körper, Kältescheue, kalte Füße und Unterschenkel, keine Kraft in den Unterschenkeln, Herzklopfen und „Schnaufen" bei der kleinsten Anstrengung, wäßriger Durchfall, zum Teil nächtliches Bettnässen, blasse Zunge mit einem weißen Belag sowie ein feiner, kraftloser Puls. Die Behandlungsprinzipien hier sind eine Unterstützung der Nieren und eine Stärkung der „Wurzel". Der Begriff Wurzel bezieht sich auf das Nieren-Chi, das nach der Chinesischen Medizinlehre im unteren Bauch bzw. Beckenbereich angesiedelt ist. Die wohl für dieses Muster am häufigsten verschriebene chinesische Heilkräutermischung ist *Jin Gui Shen Qi Wan* („Nieren-Chi-Tabletten") sowie die im Bedarfsfall nötigen Varianten. Zusätzlich ist es hilfreich, den Nabel und Punkte im unteren Bauchbereich regelmäßig zu moxen; Kindern unter sechs Jahren bekommt eine täglich angewandte Rollmassage entlang der Wirbelsäule zur Kräftigung ihrer Gesamtkonstitution im allgemeinen sehr gut.

Daran läßt sich deutlich erkennen, daß die Betonung bei Asthma auf Vorbeugen liegen soll. Asthma ist, wie wir gesehen haben, ein allergischer Zustand und daher ist eine richtige Ernährung von grundlegender Bedeutung. Mehr zum Thema Ernährung und Allergien erfahren Sie im Unterkapitel Allergien. Ferner spielt bei Asthma auch emotionale Belastung eine wichtige Rolle, ebenso wie häufige Behandlungen mit Antibiotika, die zu einer chronischen Candidose geführt haben. So können uns zum Beispiel viele Freunde unseres Sohnes wegen unserer Haustiere nicht besuchen – weil sie eine Asthmaallergie auf Tierhaare haben. Es sind die gleichen Kinder, deren Eltern sich offensichtlich nicht darum kümmern, wie viel Zucker, Eis und süße Getränke ihre Kinder zu sich nehmen und die beim ersten Anzeichen einer Ohren- oder Halsentzündung zu ihrem Kinderarzt laufen und Antibiotika verlangen. Da ich selbst als Kind an Asthma und Allergien litt, weiß ich, wie schlimm das ist und ich weiß auch, daß sich viel Leid vermeiden läßt, wenn man gleich von Anfang an auf eine richtige Ernährung achtet und nach Möglichkeit auf die Verwendung von Antibiotika verzichtet.

Geschwollene Drüsen
(Hals- und Mandelentzündung)

Hinten im Rachenraum unter den Kiefern befinden sich eine Reihe von Speichel- und Lymphdrüsen. Diese können sich entzünden bzw. vergrößern. Bringt man das Kind in diesem Fall zum Kinderarzt oder in die Klinik, wird gewöhnlich ein Abstrich vom Rachenraum gemacht, eine Kultur angelegt, und die Diagnose lautet Streptokokkeninfektion. Bei einem positiven Befund erhalten die Kinder normalerweise sofort Antibiotika, es sei denn, die Eltern wehren sich dagegen. In meiner Generation war es noch üblich, daß man Kindern, die wiederholt an Halsschmerzen, geschwollenen Drüsen oder Mandelentzündung litten, schließlich die Mandeln herausnahm. Heute sind die Ärzte glücklicherweise nicht mehr so schnell mit einer Mandeloperation bei der Hand. Meistens sind bei einer Halsentzündung, geschwollenen Drüsen oder Mandelentzündung Antibiotika oder gar ein chirurgischer Eingriff nicht nötig, denn diesen Zustand kann die Chinesische Medizin mit entsprechenden Heilkräutern und Akupunkturtechniken erfolgreich behandeln.

Die meisten Halsentzündungen diagnostiziert die Traditionelle Chinesische Medizin zumindest in ihrem Anfangsstadium als Windhitze aufgrund eines Eindringens von außen. Es kommt zu Fieber, eventuell zu leichtem Schüttelfrost, leichtem Schwitzen, einer verstopften oder laufenden Nase, eventuell Husten, einem dünnen weißen oder blaßgelblichen Belag auf der Zunge sowie einem fluktuierenden schnellen Puls. Die Behandlungsprinzipien zielen darauf ab, das Körperäußere zu reinigen, den Wind zu beseitigen und die Hitze zu zerstreuen. Ist die Halsentzündung ernsterer Natur, geht der TCM-kundige Arzt von im Körper befindlichen, hitzebedingten Giftstoffen aus. In diesem Fall muß bei der Behandlung auch die Besei-

145

tigung der Giftstoffe berücksichtigt werden. Zu diesem Zweck hat er eine Reihe von Heilkräuterrezepturen zur Auswahl, die dieses Anfangsstadium einer Infektion der oberen Atemwege mit Beteiligung der Drüsen und des Rachenraums wirkungsvoll bekämpfen. So kann er z. B. bei Fieber und rauhem Hals ohne Husten *Yin Qiao Jie Du Tang* („Absud aus Lonicera und Forsythia zur Ausleitung von Giftstoffen") verschreiben, wo hingegen im Falle von Husten *Sang Ju Yin* („Morus- und Chrysanthementrunk") empfehlenswert ist.

Bei deutlich geschwollenen Drüsen und sichtbar entzündeten Mandeln mit weißen Eiterflecken wird der TCM-Spezialist Hitze oder Feuergiftstoffen noch mehr Bedeutung beimessen. In diesem Fall empfiehlt er vielleicht *Liu Shen Wan* („Sechs-Geister-Tabletten"). Dieses Mittel wirkt bei Hals- und auch bei Mandelentzündung ausgezeichnet. Ein Akupunkturspezialist empfiehlt in diesem Fall wahrscheinlich das Schröpfen an zwei Punkten seitlich am Daumennagel. Ich habe es bei meinen Studien in China häufig miterlebt, daß Patienten mit akuter Mandel- und Halsentzündung auf diese Weise behandelt wurden, und kaum waren ein paar Tropfen Blut aus diesen beiden Punkten hervorgequollen, verspürten die Patienten beinahe sofortige Linderung. Fieber läßt sich behandeln, indem man die Wirbelsäule ein paarmal nach unten massiert. Zusätzlich verschaffen abwechselnd heiße und kalte Umschläge um den Hals (15 Minuten lang heiß, 5 Minuten lang kalt) sofortige Erleichterung und beschleunigen den Genesungsprozeß.

Wenn das Fieber zurückgegangen ist und die Drüsen zwar noch hart und geschwollen, aber nicht mehr länger heiß und schmerzhaft sind, bezeichnet die Chinesische Medizin diesen Zustand als Schleimknötchenbildung. In diesem Fall verschreibt der TCM-kundige Arzt oder Heilpraktiker eine chinesische Heilkräutermischung, die die Härte aufweicht, den Schleim umwandelt und die Knötchenbildung auflöst. Zusätzlich darf das Kind keine Milchprodukte, gebratene oder fettige Speisen sowie weder Zucker noch Süßigkeiten zu sich nehmen, da all diese Nahrungsmittel nach der Chinesischen Ernährungslehre den verschleimten Zustand verschlimmern. Bei Kindern, die häufig an Mandelentzündung leiden, wiederholt mit Antibiotika be-

146

handelt wurden und denen nun eine Mandelentfernung droht, können eine radikale Umstellung auf eine gesunde, einfache, leicht verdauliche Ernährung sowie die vorbeugende Verabreichung einer Heilkräutermischung wie *Xiao Chai Hu Tang* („Kleiner Bupleurum-Absud") den Teufelskreis unterbrechen und die Mandeln retten. Ich empfehle in solchen Fällen, dem Kind diese Kräutermischung den ganzen Winter hindurch bis in den April hinein zu verabreichen und im nächsten Herbst wieder damit zu beginnen. Ich bin der Ansicht, daß der menschliche Körper die Mandeln nicht umsonst entwickelt hat und sich eine operative Entfernung – außer im äußersten Notfall – langfristig gesehen negativ auf den Gesundheitszustand und die Abwehrkräfte der betreffenden Person auswirkt.

Streptokokkeninfektion des Rachenraumes

Lautet der Befund nach einem Halsabstrich auf Streptokokken, stehen die Eltern vor einem Dilemma. Der westliche Schulmediziner wird ihnen dann nämlich sagen, daß man unbedingt Antibiotika verabreichen müßte, da sich die Infektion sonst zu Scharlach ausweiten könne. Es ist richtig, daß manchmal aus einer nicht vollständig ausgeheilten Streptokokkeninfektion Scharlach werden kann und sich dieses Scharlach dann, wenn es ebenfalls nicht oder nur ungenügend behandelt wird, zu rheumatischem Fieber entwickelt, das das Herz angreift. Niemand und am allerwenigsten ich selbst möchte natürlich, daß ein Kind sich eine rheumatische Herzkrankheit zuzieht, die sein Herz für den Rest seines Lebens schwächt. Andererseits möchte ich Kindern – außer im absoluten Notfall- auch keine Antibiotika verabreichen, da ich zu viele langfristig negative Nebenwirkungen beobachten konnte, angefangen bei hartnäckigen Allergien der Atemwege und der Haut über Lebensmittelallergien bis hin zu schweren Autoimmunkrankheiten. Was können Eltern also in diesem Fall tun?

Der Schlüssel zur Lösung liegt hier in dem Wort unbehandelt. Wird eine Streptokokkeninfektion nicht behandelt, kann sie sich unter Umständen, aber nicht zwingenderweise, zu Scharlach und zu Rheumafieber mit Herzschwäche entwickeln. Es gibt mehr als nur eine Möglichkeit, wie man eine Streptokokkeninfektion des Rachenraums wirkungsvoll behandeln kann. Antibiotika sind eine Lösung. Sie töten zwar die Streptokokken erfolgreich ab, vernichten dabei aber auch gleichzeitig alle nützlichen Bakterien und führen damit zu einem Ungleichgewicht im Bakterien- und Pilzhaushalt des Darmes, was dann chronische Allergien verursachen kann und diese wiederum unter Umständen Autoimmunkrankheiten hervorrufen. Eine zweite Behandlungsmöglichkeit sind chinesische Heilkräuter, die im Gegensatz zu den Antibiotika keine negativen Nebenwirkungen haben. Eine Reihe von chinesischen Heilkräutern, die gewöhnlich zur Behandlung von Racheninfektionen, geschwollenen Drüsen und Mandelentzündung verschrieben werden, wirken ähnlich, in manchen Fällen sogar besser als herkömmliche Breitspektrumantibiotika. In einer Serie von Labortests konnte man nachweisen, daß bestimmte chinesische Heilkräuter die Streptokokkenbakterien tatsächlich erfolgreich abtöten, wie etwa Radix isatidis seu baphicacanthi (*Ban Lan Gen*), Rhizoma coptidis chinensis (*Huang Lian*), Radix scutellariae baicalensis (Huang Qin), Herba houttuynia cordatae (*Yu Xing Cao*), Fructuficatio lasioshaerae (*Ma Bo*), Herba cum radice taraxaci mongolici (*Pu Gong Ying*), Fructus forsythiae suspensae (*Lian Qiao*) und Flos lonicerae japonicae (*Yin Hua*). Mit anderen Worten, die Chinesische Medizin kann Streptokokkeninfektionen tatsächlich ohne Verwendung von Antibiotika erfolgreich behandeln. Und da diese Heilkräuter immer in einer ausgewogenen Mischung zum Einsatz kommen, beschädigen sie auch im Gegensatz zu den Antibiotika die Milz nicht.

Auf diese Weise behandelt die Traditionelle Chinesische Medizin auch Scharlach. Selbst wenn sich also eine Streptokokkeninfektion zu Scharlach ausgeweitet hat, heißt das noch lange nicht, daß sie zu einer Herzschädigung führen muß. Wichtig ist hier abzuklären, ob sich die Krankheit so effektiv behandeln läßt, daß sie nicht tiefer in den Körper eindringt. Wenn eine Therapie die Krankheit tatsächlich ohne kurz- oder langfristige Nebenwirkungen erfolgreich behandeln kann, ist sie die beste Lösung, und das kann in diesem Fall mit der Chinesischen Kräuterheilkunde erreicht werden. Sollten die chinesischen Heilkräuter jedoch aus irgendwelchen Gründen nicht zufriedenstellend wirken und sich der Zustand des Kindes verschlimmern, kann man immer noch als letzte Notlösung zu Antibiotika greifen. Es ist also nicht die Frage, ob man überhaupt Antibiotika verabreicht, sondern wann man sie verabreicht.

Vielleicht kann ich die Ängste vieler Eltern bezüglich Streptokokkeninfektion mit einem Zitat aus einem exzellenten Werk von Dr. Robert S. Mendelssohn mit dem Titel *"How To Raise a Healthy Child ... In Spite of Your Doctor"* (A. d. Ü.: „Wie ziehe ich ein gesundes Kind auf ... trotz meines Arztes") beruhigen:

„Sie müssen sich zunächst darüber im klaren sein, daß Hals- und Rachenentzündungen üblicherweise von Viren verursacht werden, für die die moderne Schulmedizin kein Heilmittel kennt ...

Zweitens müssen Sie wissen, daß ein Abstrich zur Bestimmung von Streptokokken im Grunde nur ihr Geld und die Zeit ihres Arztes verschwendet. Eine Laboruntersuchung beweist nämlich nicht zweifelsfrei, ob ihr Kind an einer Streptokokkeninfektion leidet oder nicht ...

Drittens ist die Wahrscheinlichkeit, daß ihr Kind aufgrund einer Streptokokkeninfektion Rheumafieber bekommt, extrem gering. Mit 25 Jahren Praxis und mehr als zehntausend Patientenbesuchen pro Jahr ist mir bisher nur ein Fall von Rheumafieber untergekommen. Tatsache ist, daß heute rheumatisches Fieber in den meisten Ländern gar nicht mehr auftritt. Man trifft die Krankheit gewöhnlich nur noch in Entwicklungsländern bei unterernährten Kindern an, die in ärmlichsten Verhältnissen in Slums hausen."

Appetitlosigkeit

Manchmal verlieren Kinder für relativ lange Zeit ihren Appetit und verweigern sogar jegliche Nahrungsaufnahme. Das kommt besonders häufig zwischen einem und sechs Jahren vor. Obwohl das Kind sehr wenig ißt, wirkt es trotzdem gutgelaunt und bei Kräften. Halten die Appetitlosigkeit und die Essensverweigerung jedoch über längere Zeit an, kann sich das nachteilig auf Wachstum und Entwicklung des Kindes auswirken. Die chinesische Fachliteratur unterscheidet bei Appetitmangel bei Kindern drei Grundmuster:

Das erste Muster heißt „Kraftverlust beim Milztransport" und wird manchmal auch als „Appetitlosigkeit aufgrund von Nahrungsstau" bezeichnet. Die Ursache ist eine Überfütterung des Kindes. Aufgrund ihrer natürlichen Schwäche kann die Milz eines kleinen Kindes noch nicht alle Nahrung verdauen und somit bleibt das Essen unverdaut im Magen-Darmtrakt liegen. Die Symptome sind eine fahle Gesichtsfarbe, keine Lust auf Essen oder Trinken, Nahrungs- und Flüssigkeitsverweigerung, ein leicht ausgemergelter Körper mit Blähbauch, Blähungen, eventuell schlechter Atem, gewöhnlich normale Ausscheidung (Urin und Stuhl), ein dünner, weißer, schleimiger Zungenbelag sowie ein schneller, leicht wegrutschender Puls. Die Behandlungsprinzipien sind eine Harmonisierung der Milz und die Kräftigung der Transportfunktion.

Ein für dieses Appetitlosigkeitsmuster häufig verschriebenes Heilkräuterrezept ist *Qu Mai Zhi Zhu Wan* („Tabletten aus Massa Medica, Hordeus, Aurantium und Atractylodes") mit entsprechenden Varianten. Bauchmassagen (mit den kleinen Kreisen im Uhrzeigersinn) helfen ferner, die Verdauung anzuregen und befördern die Nahrung durch den Darmtrakt.

Wichtig ist, daß man das Kind nicht zum Essen zwingt, wenn es keine Lust hat – schließlich ist der Zustand ja auf Überfütterung zurückzuführen! Ein Akupunktur-Spezialist oder akupunkturkundiger TCM-Arzt kann darüber hinaus mit der Akupunktur der sogenannten *Si Feng* („Vier-Winde-Punkte") Abhilfe schaffen. Diese Punkte liegen mittig in der Knöchelfalte auf der Innenseite der vier Finger einer jeden Hand. Eine Akupunktur dieser Punkte wirkt stagnationslösend und appetitanregend.

Das zweite Muster ist ein Chi-Mangel von Milz und Magen. In diesem Fall sind Milz und Magen einfach schlicht und ergreifend zu schwach, um die aufgenommene Nahrung und Flüssigkeit zu verdauen. Im Gegensatz zum vorherigen Muster treten hier keine deutlich ausgeprägten Anzeichen eines Nahrungsstaus auf. Bemerkbar machen sich vielmehr Symptome, die in Richtung allgemeine Erschöpfung und Wärmemangel gehen. Typisch sind zum Beispiel eine leichte Niedergeschlagenheit, eine gelblich-fahle Gesichtsfarbe, Appetitmangel und Nahrungsverweigerung, Schweißausbrüche, eine blasse Zunge mit einem dünnen, weißen Belag und ein kraftloser Puls. Ißt das Kind tatsächlich ein paar Bissen, kommt es kurz danach sehr wahrscheinlich zu Durchfall, der unverdaute Nahrungsbestandteile enthält. Bei Säuglingen oder Kindern im Krabbelalter ist wahrscheinlich eine blaue Vene an der Nasenwurzel zwischen den Augen sichtbar. Die Behandlung zielt bei diesem Muster auf eine Stärkung der Milz und Kräftigung des Chi ab. Eine gern verschriebene Kräutermischung wäre hier *Shen Ling Bai Zhu San* („Pulver aus Ginseng, Poria und Atractylodes"), das je nach Fall entsprechend abgewandelt wird. Moxibustion des Nabelpunktes kann ebenfalls adjuvant angewandt werden, und sollte das Kind tatsächlich essen wollen, ist darauf zu achten, daß es keine rohen, kalten der tiefgefrorenen Speisen oder Getränke zu sich nimmt, ebensowenig Zucker oder Süßigkeiten. Ein einfaches chinesisches Hausmittel, das gut gegen Appetitmangel wirkt, ist ein Tee, der aus 20 Nelken und etwas schwarzem Tee (die Chinesen nennen ihn roten Tee) gebraut wird.

Das dritte Appetitmangel-Muster bezeichnet die Chinesische Medizin als „Yin-Mangel des Magens". Dieses Muster tritt gewöhnlich nach einer Fieberkrankheit wie Masern auf. In diesem Falll trocknet das Fieber die gesunden Magenflüssigkeiten auf. Verfügt der Magen nicht über ausreichend Flüssigkeit, kann er seiner Funktion der Nahrungsaufnahme und -umwandlung nicht nachkommen. Die Symptome sind ein trockener Mund, viel Flüssigkeitsaufnahme, jedoch Appetitmangel, eine trockene Haut, trockener Stuhl, eine glänzende Zunge mit einem sich schälenden Belag oder eine hellrote Zunge mit wenig Belag und wenig Speichel sowie ein dünner Puls. Die Chinesische Medizin versucht in diesem Fall, das Yin wieder aufzubauen und den Magen zu nähren und erreicht dies mit

Heilkräutermischungen wie *Yang Wei Zeng Jin Tang* („Absud zur Nährung des Magens und Vermehrung der Flüssigkeiten").

Verstopfung

Es ist interessant, daß keines der chinesischen Lehrbücher über Kinderheilkunde, die ich in der Bibliothek meiner Praxis stehen habe, Verstopfung als Kinderkrankheit aufführt. Richtig ist zwar, daß Säuglinge und Kleinkinder häufiger an Durchfall als an Verstopfung leiden, doch Verstopfung kann bei Kindern entweder als Hauptbeschwerde oder im Rahmen einer anderen Krankheit durchaus auftreten. Da ein freier, regelmäßiger Darmfluß eine wichtige Rolle für den Gesundheitszustand eines Menschen spielt, ist das Thema in diesem Rahmen erwähnenswert, auch wenn es in der chinesischen Fachliteratur nicht auftaucht.

Manchmal haben Neugeborene, die gestillt werden, tagelang keinen Stuhlgang. Ich habe dieses Problem sowohl mit Ärztekollegen als auch mit Hebammen diskutiert, und jeder, mit dem ich gesprochen hatte, sagte mir, daß man sich bei einem Neugeborenen, der normal gestillt wird und keine anderen Beschwerden aufweist, keine Sorgen machen müsse, wenn fünf, sechs, sieben Tagen lang keine Darmentleerung stattfindet. Chinesische Ärzte entdecken jedoch häufig Anzeichen einer Gleichgewichtsstörung, die westliche Ärzte gerne übersehen.

Wenn Ihr Neugeborenes also mehrere Tage lang keinen Stuhlgang hatte, können Sie zweierlei überprüfen: Erstens: wie riecht der Atem? Der Atem eines Babys sollte angenehm süß riechen. Riecht er schlecht, ist es ein deutliches Anzeichen für einen Nahrungsstau. Wenn Sie darüber hinaus noch eine ausgeprägte, violette Vene unten am Zeigefinger und Appetitmangel mit Erbrechen von geronnener Milch feststellen, können Sie sich Ihrer Sache ziemlich sicher sein. Bei Verstopfung aufgrund von Stagnation kann man den Bauch kreisförmig massieren (die kleinen Kreisbewegungen im großen Kreis werden hier im Uhrzeigersinn ausgeführt). Ein TCM-kundiger Arzt empfiehlt vielleicht zur Anregung der Verdauung und Beseitigung des Nahrungsstaus ein chinesisches Heilmittel wie *Bao He Wan* („Tabletten zum Schutz der Harmonie") oder eine entsprechende Variante. Auch ein Einlauf mit warmen Wasser ist hilfreich.

Wenn das Kind andererseits eine deutlich sichtbare blaue Vene zwischen den Augen, eine Tendenz zu kalten Händen und Füßen und eine gewisse Trägheit aufweist, läßt dies auf ein Milzmangel-Muster schließen. In diesem Fall kommt es zu keiner Darmentleerung, weil die Milz zu schwach ist, um die Nahrung durch den Verdauungstrakt zu befördern. Die Behandlung zielt darauf ab, die Milz zu stärken und das Chi wieder aufzubauen, was man entweder mit Bauchmassage (die kleinen Kreise im großen Kreis werden hier gegen den Uhrzeigersinn ausgeführt), mit einer chinesischen Heilkräutermischung wie *Xiang Sha Liu Jun Zi Tang* („Sechs-Herren-Absud mit Auklandia und Amomum") und entsprechende Varianten oder mit Moxen des Nabelpunktes erreicht.

Bei älteren Kindern wird Verstopfung in der Regel durch Hitze im Magen-Darmtrakt hervorgerufen, die den Magen „verklebt". Typische Anzeichen sind hierfür schlechter Atem, eine rötliche Zunge mit einem dicken, trockenen, gelben Belag, Röte im Gesicht, eventuell Bauchkrämpfe, eventuell Lippenbläschen sowie ein schneller, hektischer Puls, der leicht wegrutscht. Die Verstopfung kann entweder allein oder als Begleiterscheinung einer anderen Krankheit wie etwa einer fieberhaften Erkältung, einer schlimmen Halsentzündung oder Drüsenschwellungen auftreten. Die Behandlungsprinzipien lauten in diesem Fall Ableiten der Hitze und Entleerung des Darms. Das erreicht man entweder mit einem Einlauf oder mit chinesischen Heilmitteln wie *Ma Zi Ren Wan* (Hanfsamen-Tabletten) bzw. *Xiao Cheng Qi Tang* („Kleiner Absud zur Unterstützung des Chi")

Bei Kindern unter sechs Jahren kann man die Verdauung auch mit Bauchmassagen anregen, wobei die kleinen Kreise hier im Uhrzeigersinn ausgeführt werden. Ein einfaches chinesisches Hausmittel bei Verstopfung ist ein Saft aus 100 gr frisch gepreßter Daikonwurzel, der mit etwas Honig vermengt täglich eingenommen wird. Alternativ dazu kann man auch jeden Morgen ein Glas Grapefruitsaft zum Frühstück trinken, da Grapefruit eine kühlende Wirkung hat. Wenn man bei Kindern im Grundschulalter darauf achtet, daß ihre Eingeweide nicht aufgrund von Hitze im Magen-Darmtrakt „verknotet und verstopft" sind, kann man ziemlich sicher sein, daß das Kind keine fieberhafte Krankheit bekommt. Das ist der Grund, warum manche Eltern ihren Kindern beim ersten Anzeichen von Krankheit oder Unwohlsein einen Einlauf machen. Das ist jedoch nur empfehlenswert, wenn das Kind eher Zeichen überschüssiger Hitze als Milzmangel aufweist.

Fieberbläschen (Herpes simplex)

Manche Kinder werden von periodisch auftretenden Fieberbläschen an den Lippen und im Mundbereich geplagt. Diese Bläschen sind zunächst rot und entzündlich, bis sich schließlich Schorf und Krusten bilden. Die westliche Schulmedizin führt diese Fieberbläschen auf eine Infektion mit dem Herpes-simplex-Virus zurück, das gerne bei einer Erkältung oder einem Grippeanflug aktiv wird. Manchmal treten die Fieberbläschen aber auch auf, wenn das Kind ansonsten gesund ist. Die Chinesen nennen diese Bläschen *re qi chuang*, „heiße-Chi-Blasen". Dieser Begriff besagt, daß ihr Auftreten mit der Ansammlung „übler" bzw. pathologischer Hitze im Körper zu tun haben muß. Bei Kindern setzt sich die Hitze vorwiegend im Magen-Darmtrakt ab. Ursache für diese Hitze ist allgemein Überfütterung, insbesondere übermäßiger Verzehr von öligen, fetten, gebratenen oder scharf gewürzten Speisen. Die Hitze strömt dann nach oben und lagert sich in den Lungen ab. Gewöhnlich findet man bei diesem Zustand eine rote Zunge mit gelbem Belag sowie einen schnellen, schlüpfrigen Puls vor. Das Behandlungsprinzip nach der TCM ist das Ableiten von Hitze und Wind. Eine chinesische Heilkräutermischung, die diesen Zweck erfüllt und gerne verschrieben wird, ist *Xin Yi Qing Fei Yin* („Magnolien-Trunk zur Reinigung der Lungen") sowie die dazugehörigen Varianten. Liegt gleichzeitig eine Verstopfung vor, empfiehlt sich ein Einlauf, da durch die Anregung der Darmtätigkeit und darauffolgende Entleerung auch die Hitze aus dem Magen-Darmtrakt gezogen wird.

Bettnässen

Mit Bettnässen, auch Enuresis genannt, bezeichnet man bei Kindern über drei Jahren ein unkontrolliertes Urinieren im Schlaf. Die Ursache sind die von Natur aus schwachen, noch nicht voll ausgebildeten Nieren. Nach der Chinesischen Medizinlehre steuern die Nieren Wachstum und Entwicklung. Die bleibenden Zähne und die Pubertät sind nach chinesischer Auffassung Zeichen für die Reife der Nieren. Außerdem sind die Nieren für die Urinausscheidung zuständig. Das Bettnässen kann aber auch auf einen Milz- und Lungenmangel oder feuchte Hitze zurückzuführen sein. Der TCM-kundige Arzt oder Heilpraktiker muß daher zwischen diesen drei Mustern unterscheiden können und entsprechend therapieren.

Zu den Symptomen des Bettnässens bei Nierenmangel zählen ein- bis zweimaliges Einnässen pro Nacht, häufiges, klares Wasserlassen, Blässe, Anfälligkeit für wunde Stellen oder Schwäche am Gesäß oder an den Knien, Gliederkälte und allgemeine Abneigung gegen Kälte, eine blasse Zunge mit einem dünnen, weißen Belag. Bei Milz- und Lungen-Chi-Mangel zeigen sich hingegen ein episodisches Bettnässen nach oder infolge einer anderen Krankheit, häufiges Wasserlassen, wobei jeweils nur geringen Mengen ausgeschieden werden, Blässe, Müdigkeit, Lustlosigkeit, Schweißausbrüche bereits bei geringer oder gar keiner Anstrengung, ungeformter Stuhl und eine blasse Zunge mit einem dünnen, weißen Belag. Die Symptome bei Bettnässen aufgrund feuchter Hitze sind wie folgt: geringe Mengen dunkler, stark riechender Urin, Reizbarkeit, Sprechen im Schlaf, Zähneknirschen im Schlaf sowie gerötete Lippen und Zunge.

Alle drei Fälle verlangen eine unterschiedliche Therapie. Der Nierenmangeltypus wird nach der Chinesischen Medizin mit Heilmitteln wie *Jin Suo Gu Jing Wan* („Goldenes-Schloß-das-die-Essenzschützt-Tabletten") behandelt, das Milz- und Lungenmangelmuster hingegen mit Varianten des *Bu Zhong Yi Qi Tang* („Absud zur Unterstützung der Mitte und Aufbau des Chi"). Ein einfaches chinesisches Hausmittel, das bei diesem Bettnässetyp gut wirkt, ist ein *Tee*, bestehend aus Zimt, Süßholz und zwei Teelöffeln Melasse. Das feuchte Hitzemuster hingegen spricht auf Varianten von Heilkräuterzusammenstellungen wie *Long Dan Xie Gan Tang* („Enzian-Absud zur Entschlackung der Leber") an. In der Praxis kommt primär der Nierenmangeltypus vor, wobei meist ein Großteil der aufgelisteten Symptome gar nicht ersichtlich ist. Diese Fälle lassen sich aber mit *Jin Suo Gu Jing Wan* leicht, preisgünstig und wirkungsvoll behandeln, da die kleinen, runden Tabletten auch von Kleinkindern problemlos geschluckt werden.

Der Nierenmangeltyp des Bettnässens läßt sich auch mit täglich angewandter Chinesischer Massage therapieren. In diesem Fall wendet man drei bis fünfmal hintereinander die Rollmassage entlang der Wirbelsäule nach oben an und reibt dann den Unterbauch. Manche TCM-Spezialisten behandeln Bettnässen mit Akupunktur, was ebenfalls zum Erfolg führt, aber trotzdem aus den bereits genannten Gründen nicht meine Präferenz hat. Sowohl bei einem Nierenmangel als auch beim Milz- und Lungenmangel ist es wichtig, daß das Kind eine gesunde Ernährung mit gekochten, leicht verdaulichen Speisen erhält. Bei Nierenmangel/Nierenleere sind kalte Getränke und tiefgekühlte Speisen ganz zu streichen. Bei einem Milz- und Lungenmangel hingegen sollte das Kind keinen Zucker oder Süßigkeiten essen, während im Falle einer feuchten Hitze besonders ölige, fette, gebratene und scharf gewürzte Speisen schlecht sind. Kinder mit einem feuchte Hitzemuster sind gewöhnlich gereizt und schnell erregbar, was man ebenfalls bei der Behandlung berücksichtigen muß.

Manche Eltern – und das gilt sowohl für chinesische als auch für westliche Eltern – schimpfen ihre Kinder aus oder verhöhnen sie, wenn sie wieder einmal ins Bett gemacht haben, doch das ist keine Lösung. Wenn ein Kind schwache Nieren hat, schadet Angst vor dem Zorn oder dem Spott der Eltern den Nieren nur noch mehr. Bei Kindern mit einem feuchte Hitzemuster, das ohnehin auf Wut oder Frust zurückzuführen ist, wird der Zustand durch elterlichen Zorn nur noch verschlimmert.

Es liegt auf der Hand, daß ein Kind, das Probleme mit Bettnässen hat, abends nicht mehr zuviel trinken soll. Ebenso sollten die Eltern darauf achten, daß es vor dem Zubettgehen nochmal seine Blase entleert. Bei Nierenmangel oder Milz-/Lungenmangel sollten die Eltern das Kind ins Bett schicken, bevor es übermüdet ist, da Übermüdung zu einer weiteren Schwächung von Nieren, Milz und Lunge führt.

Grindflechte (Eiterflechte, Impetigo)

Grindflechte ist eine ansteckende Hautkrankheit mit Eiterblasenbildung, die vorwiegend bei Kindern auftritt. Der westlichen Schulmedizin nach wird sie von Bakterien verursacht. Typisch sind rötliche, wässrige Papeln, die sich vorwiegend an den Extremitäten und im Gesicht herausbilden. Platzen diese Blasen auf, tritt eine honigfarbene Flüssigkeit aus, die als gelbe Kruste um die offene Stelle herum festtrocknet. In China bezeichnet man die Krankheit daher auch gerne als „Pusteln mit gelber Flüssigkeit" oder „eitertropfende Pusteln". Impetigo, wie Grindflechte auch genannt wird, tritt vorwiegend in den Sommermonaten auf.

Die Chinesische Medizin führt diese Krankheit auf feuchte Hitze zurück, die die Haut angreift und sich dort ablagert. Aus diesem Grund tritt sie vorwiegend an Orten oder zu Jahreszeiten auf, die sich durch Hitze und Feuchtigkeit auszeichnen, wie eben im Sommer. Auch wenn man die Krankheit grundsätzlich als Eindringen von äußerer Feuchtigkeit und Hitze betrachtet, sind Kinder mit einer Neigung zu innerer Feuchte- und Hitzebildung anfälliger für Grindflechte – und Feuchtigkeit und Hitze sammeln sich in Kinderkörpern primär wegen ihrer noch schwachen Milz und einer falschen Ernährungsweise an. Wenn Sie also vermeiden wollen, daß sich Ihr Kind mit Grindflechte ansteckt, sollten Sie auf eine gesunde Milz und damit auf eine gesunde, leicht verdauliche Kost achten. Die Milz läßt

157

sich auch gerade bei Säuglingen und Kleinkindern mit einer täglichen Bauchmassage wie oben beschrieben stärken. Eine einfache, gesunde Ernährung aus vorwiegend gekochten Speisen mit geringem Fett- und Zuckergehalt kräftigt nicht nur die Milz, sondern hilft auch, eine Ansammlung innerer Feuchtigkeit und Hitze zu vermeiden.

Hat sich Ihr Kind dennoch mit Grindflechte angesteckt, ist es wichtig, daß man die betroffenen Hautstellen mit einem Gazeverband abdeckt, damit die auslaufende gelbe Flüssigkeit nicht noch weitere Hautstellen befällt. Das bedeutet auch, daß andere Kinder weder mit den betroffenen Hautstellen noch mit der eitrigen Flüssigkeit in Kontakt kommen dürfen und der kleine Patient die betroffenen Stellen auch nicht aufkratzen darf. Waschen Sie Ihrem Kind daher sofort die Hände, wenn es die Stellen berührt hat. Da Grindflechte häufig als Folge einer infizierten Wunde auftritt, zum Beispiel wenn das Kind eine kleine Schnittwunde oder einen Insektenstich mit schmutzigen Fingern aufgekratzt hat, sollten Kinder lernen, sich häufig die Hände zu waschen und kleine Kratzer oder Insektenstiche nicht aufzukratzen, da sie sich sonst entzünden können.

Die Chinesische Medizin behandelt dieses Hautleiden mit Hilfe verschiedener innerlich anzuwendender Kräuterabsude. Ihr TCM-Spezialist greift in diesem Fall vielleicht zu einer Variante des *Qing Pi Chu Shi Yin* („Trunk zur Reinigung der Milz und Ausleitung von Feuchtigkeit") oder *Er Miao San* („Zwei-Wunder-Pulver"), je nach exakter Lage der Blasen, ihrem Aussehen und anderen Faktoren wie zum Beispiel Juckreiz. Zusätzlich verschreibt der TCM-Spezialist vermutlich noch eine Lotion aus chinesischen Heilkräutern zur äußerlichen Anwendung. Wenn die Pusteln nässen und viel Flüssigkeit austritt, darf man keine Salbe auf Ölbasis verwenden, da sie Feuchtigkeit und Hitze nicht ausfließen läßt und sich der Befall damit weiter ausbreitet.

Auch mit der Ernährung läßt sich hier korrigierend eingreifen. Eine dünnflüssige Suppe oder ein Brei aus Mungobohnen zum Beispiel helfen, feuchte Hitze aus dem Organismus abzuleiten. Diesen Brei kann man nicht nur zur Behandlung einer akuten Impetigo einsetzen, sondern auch schon prophylaktisch in den feuchtheißen

Sommermonaten füttern. Ein dünner Gerstenbrei hat ebenfalls diese Wirkung.

Wenn dieser Zustand chronisch wird, bedecken die schorfigen, klebrigen Pusteln große Hautbereiche und heilen schlecht ab. Die Begleitsymptome sind Durst, jedoch ohne große Lust auf Trinken, allgemeine Müdigkeit, eventuell Atemnot, Unruhe, Schlafstörungen, eine leicht gerötete Zunge mit geringem oder dünnen Belag sowie ein feiner Puls. Diese Zeichen und Symptome sind auf den lange anhaltenden Feuchtigkeits- und Hitzezustand im Körper zurückzuführen, der bereits das Chi und das Yin angegriffen hat. Daraus entsteht eine Kombination aus „schwelender" feuchter Hitze und einem Yin- und Chi-Mangel. Das klingt zwar nicht sonderlich erfreulich, hat aber einen Trost: derartige Zustände kann die Chinesische Medizin ausgezeichnet heilen. Bei diesem Muster verschreibt der TCM-Spezialist in der Regel eine Heilkräutermischung, die nicht nur das Chi aufbaut und die Milz kräftigt, sondern gleichzeitig auch das Yin anreichert und Feuchtigkeit und Hitze ausleitet. Gut geeignet ist zum Beispiel *Shen Qi Zhi Mu Tang* („Absud aus Codonopsis, Astragalus und Anemarrhena").

Allergien

Meine Erfahrung hat mich gelehrt, daß sich Allergien bei Kindern auf zwei Hauptursachen zurückführen lassen: Erstens: die Ernährung. Entweder haben die Eltern bei der Umstellung auf feste Nahrung Fehler gemacht oder sie haben dem Kind die falschen Nahrungsmittel erlaubt. Wie bereits eingangs gesagt, soll man erst auf feste Nahrung umstellen, wenn das Kind von sich aus nach dem Essen auf dem Teller der Eltern greift. Das geschieht gewöhnlich zur Zeit des ersten Zahnens, etwa um fünf Monate herum. Wenn man auf feste Nahrung umstellt, muß man darauf achten, daß man immer nur ein bestimmtes Nahrungsmittel neu „antestet". Auf diese Weise kann man an einer Negativreaktion sofort merken, ob das Verdauungssystem des Kindes damit schon umgehen kann oder nicht. Wenn nicht, ist es ein Leichtes, das betreffende Nahrungsmittel zu identifizieren und auszusetzen, bis sich der Verdauungstrakt wieder ein Stückchen weiter entwickelt hat. Wird das betreffende Lebensmittel dem Kind jedoch weiter verabreicht, obwohl es das Produkt nicht richtig verdauen kann, wird es vermutlich allergisch darauf reagieren.

Bekommt das Kind darüber hinaus viel zuckerhaltige Nahrung und Süßigkeiten, wird damit die Milz geschwächt, und es kommt zu einer Feuchtigkeitsansammlung im Körper. Wenn sich diese Feuchtigkeit über einen längeren Zeitraum anstaut, entsteht gewöhnlich im Darmtrakt feuchte Hitze. Dieses feucht-heiße Milieu bildet dann die perfekte Brutstätte für Hefe- und andere Pilze. Diese wandern schließlich durch die Darmwand ins Körperinnere. Dadurch wird die Darmwand durchlässiger, so daß sogar große Nahrungsmoleküle vom Darm in den Körper gelangen, wo sie eigentlich nicht hingehören und auf diese Weise eine Reaktion des Immunsystems, sprich eine Allergie auslösen. Dazu kommt, daß die in den Körper gewanderten Hefe- und sonstige Pilze irgendwann absterben. Die übrigbleibenden Proteine betrachtet das körpereigene Abwehrsystem ebenfalls als Fremdkörper und greift sie an, was wiederum zu allergischen Reaktionen führt.

Die zweite Hauptursache für Allergien sind Antibiotika, die auf ihre Weise ebenfalls ein übermäßiges Pilzwachstum im Darm fördern. Unabhängig davon, ob der Auslöser nun Antibiotika oder einfach eine falsche Ernährung war, ist das übermäßige Anwachsen der Hefe- und sonstigen Darmpilze daran schuld, daß der Körper nun auf Substanzen allergisch oder überempfindlich reagiert, auf die er normalerweise nicht allergisch reagieren sollte. Diese Reaktionen können entweder Lebensmittelallergien, Allergien der oberen Atemwege wie etwa Heuschnupfen oder allergisches Asthma und allergische Hauterkrankungen wie Quaddeln, Ekzeme oder Schuppenflechte sein.

Alle diese Beschwerden können nach einer entsprechenden Musterdiagnose von einem professionellen TCM-Spezialisten mit chinesischen Heilkräutern behandelt werden. Da der Zustand jedoch recht kompliziert ist, kann ich den Eltern in diesem Fall keine Hausmittel oder einfache Behandlungsmethoden für den Hausgebrauch vorschlagen. Weil jedoch gerade bei Allergien die Ernährung eine so bedeutende Rolle spielt, kann ich nur raten, das Kind auf eine einfache, gesunde und leicht verdauliche Kost umzustellen, was bereits ein Großteil dieser Probleme löst. Meiner Erfahrung nach lassen sich allergische Beschwerden auf lange Sicht nie alleine mit Akupunktur und/oder chinesischen Heilkräutern heilen, ohne daß die Ernährung entsprechend angepaßt wird.

Was bedeutet nun eine „gesunde, einfache und leichtverdauliche Kost"? Ich denke, dieser Punkt ist so wichtig, daß man ihn nicht oft genug betonen kann. Gesunde Ernährung heißt gekochte Speisen, die warm gegessen werden. Denken Sie daran, daß die Milz nur dann hundertprozentig arbeiten kann, wenn alle Nahrung im Magen zu einem dünnflüssigen Brei auf Körpertemperatur umgewandelt ist. Gesunde Ernährung bedeutet aber auch eine Kost, die reich an Getreide und komplexen Kohlehydraten ist. Dieses Getreide muß aber vor dem Verzehr entweder gut durchgekocht oder gemahlen werden, damit es der Körper verdauen kann. Bei den Getreiden sollte man vorwiegend Reis wählen, da Reis am wenigsten allergische Reaktionen verursacht. Wichtig sind ferner reichlich Bohnen und ein paar Nüsse und Samen. Gesunde Ernährung heißt außerdem viel Gemüse und Obst, das bei Säuglingen und Kleinkindern gekocht sein sollte, und nur ab und an etwas tierisches Eiweiß.

Worauf man größtenteils oder ganz verzichten sollte, sind Süßigkeiten und alle zuckerhaltigen Speisen. Meiner Erfahrung nach ist der Zucker, der in Obstsäften oder Honig enthalten ist, genauso schlecht wie raffinierter weißer Zucker. Ein Glas Obstsaft enthält oft mindestens genausoviel Zucker wie ein Schokoladenriegel. Außerdem sollte man nur wenig Milchprodukte zu sich nehmen und sie nach Möglichkeit vor dem Verzehr auf Zimmertemperatur erwärmen. Die Ernährung sollte ferner wenig Öle und Fette enthalten, ebenso keine oder kaum fermentierte (durch Gärung entstandene) Produkte, die gerne mit Schimmel- und Hefepilzen durchsetzt sind. Das bedeutet, daß das Kind keine Lebensmittel essen soll, die Hefe enthalten, wie etwa

Brot oder Käse, keinen Essig oder andere Nahrungsmittel, die leicht schimmeln. Äpfel zum Beispiel werden nicht schnell schimmlig, Pfirsiche, Erdbeeren und Melonen hingegen schon. Selbst der leichte „Grauschleier" auf Trauben ist bereits Schimmel.

Die Umstellung auf eine derartige Ernährung ist für viele Kinder und Erwachsene ein schwieriger Schritt. Es ist aber auch der Schlüssel zur erfolgreichen Behandlung zahlreicher chronischer, schwer heilbaren Krankheiten. Am Anfang kann es nach der Umstellung zu einer Erstverschlimmerung kommen, da viele Hefe- und andere Pilze absterben, weil ihnen ihre Nahrung (nämlich Zucker!) entzogen wird. Gegen Ende der ersten Woche sollte es jedoch zu einer deutlichen Verbesserung kommen.

Auch wenn sich nach ein paar Wochen bereits erstaunliche Erfolge bemerkbar machen, muß man die Diät mindestens drei Monate lang streng einhalten, wenn man einen dauerhaften Erfolg erzielen will. Hält man sogar sechs Monate durch, hat man noch bessere Chancen, daß es zu keinem Rückfall mehr kommt. Grundsätzlich ist diese Ernährungsweise für Menschen in gemäßigten Klimazonen die gesündeste – auch wenn man sich hin und wieder ein paar verbotene Nahrungsmittel gönnt. Ähnlich sind auch die Pritikin-Diät oder die makrobiotische Ernährungslehre angelegt.

Ein einfaches Hausmittel bei allen Arten von Allergien ist das Schröpfen des Nabelpunktes. Schröpfen ist nach der Chinesischen Medizin wie Akupunktur eine zusätzliche äußere Behandlungsform. Man nimmt dazu ein kleines Glas, z. B. ein Marmeladenglas, und erhitzt es über einer Flamme, damit sich darin ein Vakuum bildet. Durch das Vakuum wird dann die Haut unter der Glasöffnung so hochgezogen, daß das Glas fest an der Haut klebt. Diese Technik sollte man sich aber zuvor von einem Arzt oder Heilpraktiker zeigen lassen. Sie ist zwar nicht schwierig, aber man muß einmal gesehen haben, wie es geht, damit man seinem Kind dabei nicht die Haut verbrennt. Bei diesem Schröpfen über dem Nabel verbleibt das Schröpfglas ungefähr fünf Minuten auf der Haut und wird dann wieder entfernt. Das wiederholt man pro Behandlung drei- bis fünfmal, wobei die Behandlung mehrere Tage hintereinander täglich durchgeführt werden soll. Diese Technik eignet sich nicht für Säuglinge, läßt sich aber bei Kleinkindern gut anwenden.

Wenn Ihr Kind also an Lebensmittel- oder Hautallergien, Allergien der oberen Atemwege und sonstigen Autoimmunkrankheiten leidet, kann ich Ihnen nur empfehlen, einen TCM-kundigen Arzt oder Heilpraktiker aufzusuchen und gleichzeitig auf eine hypoallergene, gesunde und leicht verdauliche Ernährung, die die Milz kräftigt und Feuchtigkeit und Schleim im Körper löst, umzusteigen.

Ekzem (Juckflechte)

Als Ekzem bezeichnet man eine Entzündung der Hautoberfläche, die mit Rötung, Schwellung, Blasenbildung, Krusten, Schuppen und Juckreiz einhergeht. Die Chinesische Medizin unterscheidet bei Kindern zwei Hauptmuster: zum einen eine brodelnde, dampfende feuchte Hitze und zum anderen einen Milz- und Blutmangel. Die „brodelnde" feuchte Hitze beschreibt eine ekzematöse Hautveränderung, die mit einem roten Ausschlag beginnt. Dieser Ausschlag bildet mit der Zeit Blasen, die aufplatzen und nässen. Werden die Blasen und Krusten aufgekratzt, kommt es leicht zu einer Sekundärinfektion. Das erste Ekzem-Muster behandelt die Chinesische Medizin mit dem Ausleiten von Hitze, Feuchtigkeit und Wind. Eine in diesem Fall häufig verschriebene Kräutermischung lautet *Bi Xie Shen Shi Tang* („Absud aus Discorea und Hypoglauca zum Versickern der Feuchtigkeit") mit entsprechenden Varianten. Patienten, die an diesem Ekzemtyp leiden, müssen Zucker und Süßigkeiten sowie alle fermentierten oder schimmelanfälligen Nahrungsmittel meiden und sollten auf eine hypoallergene Anti-Candida-Diät mit vielen gekochten, warmen und leicht verdaulichen Speisen umsteigen. Einfache chinesische Hausmittel wären hier entweder ein Tee aus Gerste und Mungbohnen oder ein Tee aus Maisfasern und Löwenzahn oder auch ein Tee aus Adukibohnen, Gerste und Maisfasern. Zusätzlich kann man die befallenen Hautbereiche mit einer Lösung aus Salz und Borax, die in gleichen

Teilen in warmen Wasser gelöst werden, zwei- bis dreimal täglich abwaschen.

Der zweite Ekzemtyp ist ein Milz- und Blutmangelmuster. Bei diesem Typus kommt es zu einem rötlichen, geschwollenen, harten und schuppigen Ausschlag mit relativ geringem Juckreiz, eventuell mit einem gelblichen, fettig wirkenden Sekret. Dieses Ekzemmuster ist die subakute oder chronische Form, während das oben beschriebene Feuchthitzemuster die akute oder aktive Phase darstellt. Die Behandlungsprinzipien sind darauf ausgerichtet, die Milz zu kräftigen, die Feuchtigkeit auszutrocknen, das Blut zu nähren und den Wind zu vertreiben. *Ping Wei San* („Pulver zur Beruhigung des Magens") in Kombination mit *Si Wu Tang* („Vier-Stoffe-Absud") in entsprechenden Varianten würde in diesem Fall Abhilfe schaffen.

Bei beiden Mustertypen spielt die Milz eine Schlüsselrolle. Die in der Haut „brodelnde" feuchte Hitze ist auf eine schlechte Milzfunktion zurückzuführen. Nach der Chinesischen Medizin ist die Milz für die Umwandlung und den Transport der Körperflüssigkeiten zuständig. Feuchte Hitze bildet sich bei Säuglingen und Kleinkindern aufgrund einer schlechten Milzfunktion, die ihrerseits wieder auf eine falsche Ernährung zurückzuführen ist. Die angesammelte Feuchtigkeit blockiert den freien, warmen Chi-Fluß, der sich aufstaut und zu Hitze umwandelt. Diese Hitze vermischt sich mit der Feuchtigkeit, was dann den Zustand der feuchten Hitze hervorruft. Beim zweiten Typus verursachen Milzmangel und Milzschwäche einen Blutmangel. Nach der Chinesischen Medizinlehre entsteht das Blut aus der Feinessenz der aufgenommenen Nahrungsmittel und Flüssigkeiten, die von der Milz herausdestilliert wird. Da das Blut für die „Bewässerung" und Versorgung der Haut zuständig ist, kann es bei einem Blutmangel zu trockener, schuppiger und juckender Haut kommen.

Aus diesem Grund ist in beiden Fällen eine milzstärkende, feuchtigkeitsabführende Ernährung von grundlegender Bedeutung. Damit sind wir wieder bei der oben beschriebenen gesunden, hypoallergenen Anti-Pilz-Diät ohne Zucker und Süßigkeiten, fermentierten oder leicht schimmelanfälligen Nahrungsmitteln. Zur lokalen Anwendung gibt es eine Reihe chinesischer Heilkräuterpräparate, die auf die befallenen Hautbereiche aufgetragen werden. Ihr TCM-Spezialist wird Ihnen entsprechend dem Muster Ihres Kindes das passende Mittel zusammenstellen. Wichtig ist, daß man im akuten Stadium der „brodelnden, dampfenden" feuchten Hitze keine Salbe auf Öl-basis aufträgt, während im trockenen, schuppigen Zustand mit wenig oder kaum Sekret eine ölhaltige Salbe zur Befeuchtung der trockenen Stellen genau das Richtige ist. Bei einem nässenden Ekzem mit starker Sekretion kann man auch zu folgendem chinesischen Hausmittel greifen: man reibt eine rohe Kartoffel fein und trägt sie als Umschlag auf die betroffenen Bereiche auf. Alle drei Stunden wird der Umschlag dann gewechselt.

Nesselsucht (Quaddeln, Urticaria)

Bei Nesselsucht bilden sich auf der Haut blasenartige, striemenähnliche Quaddeln. Diese Quaddeln sind entweder klein oder groß, rot oder weiß und können sich entweder auf einen kleinen Bereich begrenzen oder über den ganzen Körper ausdehnen. Sie bilden sich schnell und verschwinden aber auch wieder schnell. Meist werden sie von einer allergischen Reaktion ausgelöst. Kinder sind besonders anfällig für Nesselsucht, weil ihre Haut noch loser und weniger dicht gepackt ist als die eines Erwachsenen und „böse Winde" daher leichter in sie eindringen können. Der Ausdruck „böse Winde" ist eine chinesische Metapher für nicht sichtbare Krankheitserreger. Die Traditionelle Chinesische Medizin unterteilt Nesselsucht bei Kindern in drei Haupttypen:

Das erste Muster ist Windkälte. Hierbei treten bläßliche Quaddeln auf, die sich bei Wind oder Kälte verschlimmern. Normalerweise ist der Zustand im Winter schlechter und verbessert sich im Sommer. Die Zunge weist einen dünnen, weißlichen, eventuell auch schleimigen Belag auf; der Puls ist absackend und beinahe langsam. Die Behandlungsprinzipien sind eine Beseitigung von Kälte und Wind sowie eine Regulierung und Harmonisierung des Konstruktiven und Defensiven. Das Konstruktive und Defensive sind zwei verschiede-

ne Schichten des Chi. Das bedeutet nach der Chinesischen Medizinlehre, daß die verteidigende Schicht mögliche Krankheitserreger von
außen nicht ausreichend abwehren kann. Die verteidigende Schicht
wird damit zu durchlässig. TCM-kundige Ärzte verschreiben in diesem Fall gerne passende Varianten des *Gui Zhi Tang* („Zimtstan-
gen-Absud"). Kinder mit dieser Form von Nesselsucht sollten keine
kalten, gekühlten oder tiefgekühlten Speisen oder Getränke zu sich
nehmen.

Das zweite Muster ist Windhitze. Charakteristisch hierfür sind rötliche, brennende und stark juckende Quaddeln. Der Zustand verschlimmert sich bei sommerlicher Hitze und bessert sich im Winter.
Die Zunge zeigt einen dünnen, gelblichen Belag; der Puls ist schnell
und fluktuierend. Die Behandlungsprinzipien konzentrieren sich auf
eine Beseitigung von Wind, Hitze, Feuchtigkeit und Juckreiz. *Xiao
Feng San* („Pulver zum Austreiben von Wind") ist eine chinesische
Heilkräutermischung, die in diesem Fall in reduzierter oder ergänzter
Form gerne eingesetzt wird. Kinder, die dieses Muster aufweisen,
sollten keine scharf gewürzten Speisen essen, ebenso wenig Huhn,
Garnelen oder andere Schalentiere. Verboten sind auch Erdbeeren,
Schokolade und andere Lebensmittel, die nach der Chinesischen Er-
nährungslehre Allergien mit Hitze-Muster auslösen können.

Das dritte Muster ist eine feuchte Hitze im Magen- und Darmtrakt.
Die auftretenden Quaddeln gehen meist mit Bauchschmerzen einher,
was in der Regel an mangelnder Disziplin bei der Ernährung liegt.
Mit anderen Worten, die Quaddeln stehen in direktem Zusammenhang mit einer Lebensmittelallergie. Manchmal liegen auch Darmpa-
rasiten zugrunde. Die Behandlungsprinzipien zielen auf eine Ausleitung von Wind und Hitze sowie auf die Abtötung und Beseitung der
Parasiten ab. Eine hierfür häufig verschriebene Kräutermischung ist
Fang Feng Tong Shen San („Ledebouriella-Sprich-mit-den-Weisen-
Pulver) und ihre entsprechenden Abwandlungen. Bei diesem Muster
ist es ganz besonders wichtig, daß der Patient eine gesunde, hypoallergene Kost erhält. Ein einfaches chinesisches Hausmittel, das
sowohl bei einem Windhitzemuster als auch bei feuchter Hitze in

Magen- und Darmtrakt wirkt, ist ein Tee aus Maisfasern und Gerste, den man zehn Tage lang zweimal täglich trinkt.

Warzen
(Gemeine Warzen und Sohlenwarzen)

Warzen sind eine Art von Virusinfektion. Kinder sind besonders anfällig für Warzenbildung, da ihre Organe und damit auch ihr Immunsystem noch nicht voll ausgereift sind. In der Chinesischen Medizin heißen Warzen *Qian ri chuang*, „Tausend-Tage-Wunden", weil sie häufig nach etwa tausend Tagen wieder verschwinden. Warzen sind bei Kindern auf eine Reihe von Faktoren zurückzuführen. In der Regel liegt eine Kombination aus brodelnder, dampfender Feuchthitze und Blutmangel aufgrund einer schwachen Milz vor. Diese Feuchthitze blockiert den Chi- und Blutfluß, der sich zu einer Warze aufstaut. Da es hier zu einer Gewebeansammlung kommt, muß das Ganze von Schleimknötchenbildung begleitet sein. Die trockene, schuppige Oberfläche der Warze hingegen läßt sich auf Bluttrockenheit und Blutmangel zurückführen. Wenn die Warze bedeckt gehalten und feucht wird, entzündet sie sich häufig aufgrund der darunterliegenden feuchten Hitze. Kratzt oder zwickt das Kind an der Warze herum, kann sie sich ebenso wegen der darunterliegenden Feuchthitze entzünden.

Die Chinesische Medizin behandelt Warzen ähnlich wie die westliche Medizin. Man kann die Warze entweder mit ätzenden Kräutern, die aufgelegt werden, entfernen oder mit Moxa abglühen. Offen gesagt kann ich Eltern nur empfehlen, Warzen von einem westlichen Arzt entfernen zu lassen. Die westliche Schulmedizin verfügt in diesem Fall über die sichereren, schnelleren und effizienteren Methoden.

167

Giftefeu (Rhusdermatitis)

Genau genommen ist eine Hautentzündung durch Giftefeu keine Kinderkrankheit. Aber Kinder spielen gerne draußen in Wald und Feld und achten nicht darauf, mit welchen Pflanzen sie dabei in Berührung kommen. Da die von Giftefeu oder Gifteiche verursachten roten, juckenden Bläschen und Blasen schmerzhaft sind und beim Aufplatzen ein wässriges Sekret absondern, betrachtet sie die Chinesische Medizin als feuchten Hitzezustand. Die westliche Schulmedizin behandelt eine Rhusdermatitis primär mit Zinkspatlösung, die auf die betreffenden Stellen aufgetragen wird. Zinkspat verwendet auch die Chinesische Medizin zur äußerlichen Behandlung. Darüber hinaus kennt sie aber auch eine Reihe verschiedener Kräuterabsude, die innerlich eingenommen den Juckreiz lindern und die Entzündung abheilen lassen. Man kann hier zum Beispiel mit Abwandlungen des *Er Miao San* („Zwei-Wunder-Pulver") arbeiten. Unterstützend wirkt auch eine Kräuterspülung wie etwa *Ku Shen Tang* („Sophora-Absud"), die äußerlich anstelle einer Zinkspatlösung aufgetragen wird.

Nasenbluten

Es ist nicht ungewöhnlich, daß Kinder plötzlich wie aus heiterem Himmel Nasenbluten bekommen. Normalerweise achten Eltern wenig darauf, es sei denn, das Nasenbluten tritt häufig und sehr stark auf. Dieses Nasenbluten ist zwar nicht lebensbedrohlich, gibt aber Aufschluß über ein konstitutionelles Ungleichgewicht und liefert damit Anhaltspunkte zur Verbesserung der Ernährung. Die Chinesische Kinderheilkunde unterscheidet zwei Haupttypen von Nasenbluten: 1) Lungenhitze in Verbindung mit einem Eindringen von außen und 2) „brodelnde" oder „schwelende" Milz- und Magenhitze.

Beim ersten Muster besteht bereits eine Tendenz der Lungen, Hitze anzusammeln. Bekommt das Kind dann noch eine Erkältung oder dringen Krankheitserreger von außen in den Organismus ein, wird der Hitzestau in den Lungen noch größer, und diese Hitze läßt das Blut überlaufen wie überkochende Milch. Diese Metapher klingt zwar extrem, sagt aber nichts über die Ernsthaftigkeit der Sache aus. Sie beschreibt lediglich die chinesische Vorstellung, wie übermäßige Hitze zu Blutungen führen kann. Die für dieses Muster typischen Symptome sind Kopfschmerzen, eine Abneigung gegen Wind, trockener Mund und Nase, die manchmal blutig sein kann, Husten mit wenig Auswurf sowie ein fluktuierender, schneller Puls. Die Behandlungsprinzipien zielen darauf ab, die Hitze zu beseitigen, das Körperäußere zu reinigen, das Blut zu kühlen und das Bluten zu stoppen. Eine geeignete Heilkräutermischung wäre zum Beispiel *Qing Liang Zhi Nu Tang* („Absud zur Reinigung und Kühlung sowie gegen Nasenbluten"). Kinder, die eine Tendenz zu diesem Typ von Nasenbluten zeigen, sollten zudem scharf gewürzte Speisen vermeiden, da diese den Hitzezustand verschlimmern.

Das zweite Muster hat vorrangig mit der Ernährung zu tun. Aufgrund von zuviel scharf gewürzten, fetten und gebratenen Speisen hat sich Hitze im Körper angesammelt und „brodelt" in Magen und Milz. Diese Hitze läßt das Blut „überkochen" und verursacht damit Nasenbluten. Die für dieses Muster typischen Symptome sind ein gelegentlicher Blutausfluß aus der Nase, trockene Nase, schlechter Atem, Durst mit einer Vorliebe für kalte Getränke, Verstopfung, ein gelblicher Belag auf der Zunge sowie ein schlüpfriger, schneller Puls. Die Behandlungsprinzipien sind eine Reinigung des Magens und ein Unterdrücken des Feuers. *Bai Hu Tang* („Weißer-Tiger-Absud") ist die Heilkräutermischung, mit der ein TCM-Arzt das Problem gewöhnlich behandelt. Kinder mit diesem Mustertyp müssen von scharf gewürzten, fetten Speisen Abstand nehmen. Ich selbst leide – nebenbei bemerkt – an diesem Muster und bekomme sofort Nasenbluten, wenn ich etwas sehr Scharfes oder stark Gewürztes zu mir nehme. Da dieses Muster mit Verstopfung, Gaumenbläschen und ähnlichem in Verbindung steht, ist es wichtig, für einen freien Fluß im Verdauungstrakt zu sorgen. Werden Kinder, die dieses Muster aufweisen, krank, bekommen sie schnell Fieber.

Gaumenbläschen

Manchmal haben Kinder kleine, helle Bläschen auf dem Zahnfleisch oder in der Mundhöhle. Sie bedürfen in der Regel keiner Behandlung; auch wird das Kind sie vielleicht gar nicht erwähnen. Meist sind sie auf feuchte Hitze zurückzuführen, die in Magen und Milz schwelt, ähnlich wie bei dem zweiten Nasenblutenmuster. Am besten vermeidet man in diesem Fall scharf gewürzte oder fettige Speisen und achtet auf einen guten Darmdurchfluß. Bedürfen die Bläschen dennoch einer Behandlung oder bilden sich noch zusätzliche Beschwerden heraus, kann man mit einer Abwandlung des *Bai Hu Tang* („Weißer-Tiger-Absud") oder *Gan Lu Yin* („Süßer Tau-Trank") Hitze und Feuchtigkeit ableiten und den Organismus wieder ins Gleichgewicht bringen. Ein einfaches chinesisches Hausmittel besteht in einem Tee, der aus 5 gr frischer Pfefferminze, 1 Tasse Wasser und einer Prise Salz gekocht wird. Diesen Tee sollte man sooft als möglich über den Tag verteilt trinken. Er hilft außerdem auch bei Zahnschmerzen oder Nasenbluten bei Magenhitze. Alternativ dazu kann man auch eine Suppe aus Brunnenkresse und Karotten kochen und trinken. Zur Verstärkung der Wirkung gibt man ein paar Sennesblätter dazu (im Naturkostladen erhältlich). Senna ist eine Pflanze mit abführender Wirkung, was zeigt, daß eine Verstopfung aufgrund von Hitze im Magen-Darmtrakt auch mit Bläschen in der Mundhöhle in Verbindung stehen kann.

Bindehautentzündung (Konjunktivitis)

Bei Bindehautentzündung kommt es zu einer starken Rötung der Bindehaut im Augapfel. Die chinesische Fachliteratur führt Bindhautentzündung zwar nicht als Kinderkrankheit auf, nachdem dieses Problem aber bei Kindern häufiger auftritt, möchte ich es an dieser Stelle der Volllständigkeit halber für interessierte Eltern erwähnen. Die westliche Schulmedizin führt Konjunktivitis, wie Bindhautentzündung medizinisch genannt wird, auf eine Infektion mit Viren oder Bakterien oder auch auf Allergien zurück. Nach der Chinesischen Medizin hingegen hat eine Rötung immer mit krankhafter Hitze im Körper zu tun. Es werden fünf Hauptmuster unterschieden, nämlich ein äußeres Eindringen von Windhitze, Hitze-Giftstoffe, obere hyperaktive Magenhitze, oberes hyperaktives Leberfeuer sowie Yin-Mangel mit innerer Hitze. Bei Kindern findet man vorwiegend das Eindringen von Windhitze von außen sowie die obere hpyeraktive Magenhitze vor.

Wir haben die für Windhitze typischen Merkmale bereits in anderen Unterkapiteln ausführlich besprochen. Magenhitze verursacht deshalb Bindehautentzündung, weil der Magenkanal direkt mit dem Auge in Verbindung steht. Zu den Symptomen des Magenhitzemusters zählen häufiges Hungergefühl, Lust auf kalte Getränke, eventuell Verstopfung oder Durchfall, Unruhe, eine gerötete Zunge mit einem gelblichen Belag sowie ein schneller, unbestimmter Puls. Bei Bindehautentzündung aufgrund von Magenhitze versucht die Chinesische Medizin den Magen zu entleeren und die Hitze abzuleiten. Ein für diesen Fall gut geeignetes Rezept ist *Xie Xin Tang* („Absud zur Ableitung aus dem Herzen") in den entsprechenden Varianten. Nachdem aber Windhitze die Magenhitze aufwirbeln und verschlimmern kann, treten diese beiden Mechanismen bei Kindern häufig gekoppelt auf und führen so zu einer Bindehautentzündung. Ein einfaches chinesisches Hausrezept, das gegen Bindehautentzündung bei Magenhitze wirkt, ist ein Tee aus Brokkoli und Karotten, beides Lebensmittel, die kühl wirken. Eine Alternative ist auch ein Tee aus Chrysanthemenblüten (*Ju Hua*), die im Naturkostladen oder in chinesischen Supermärkten erhältlich sind. Als Variante kann man auch einen Tee aus Chrysanthemenblüten und Spinat kochen, oder die warmen Chrysanthemenblüten aus dem Tee herausfischen und als beruhigenden Umschlag auf das kranke Auge legen. Ein weitere Möglichkeit ist ein Tee aus Löwenzahn (ganz verwenden). Beruhigend wirkt außerdem eine Augenpackung aus geriebener Gurke.

Hyperaktivität

Nach der Chinesischen Medizinlehre hat kindliche Hyperaktivität mit der chinesischen Vorstellung des im Herzen wohnenden Geist zu tun, wobei sich „Geist" hier auf Verstand und Bewußtsein bezieht. Ein gesunder Geist ist ruhig und ausgeglichen. Ist der Geist ruhig, sind auch der Verstand und der Körper ruhig und ausgeglichen. Die Chinesische Medizin geht von drei Hauptursachen aus, die den im Herzen wohnenden Geist aus der Ruhe bringen können: entweder wird der Geist nicht ausreichend genährt und flattert nervös umher, oder es steigt eine Hitzewelle auf und stört den Geist oder – die dritte Möglichkeit – Schleim versperrt die Tore des Herzens. Im diesem letzten Fall ist die Verbindung des Geistes zur Außenwelt unterbrochen – als ob am Haus des Verstandes alle Türen und Fenster mit Läden verriegelt wären. Diese drei Hauptmechanismen bilden die Grundlage für die drei TCM-Muster, die Hyperaktivität bei Kindern beschreiben.

Das erste dieser drei Muster ist ein Herz-Milz-Mangel. In diesem Fall sind nicht genügend Chi und Blut zur Versorgung des Geistes vorhanden. Der Geist wird also infolge eines „Nahrungsmangel" nervös. Die für dieses Muster charakteristischen Symptome sind eine fahlgelbe oder weißlich-blasse Gesichtsfarbe, blasse Nägel und Lippen, allgemeine Müdigkeit, Schlaflosigkeit, Herzklopfen, Atemnot, Appetitmangel, eine Neigung zu Durchfall oder breiigem Stuhl, schlechtes Gedächtnis, eine dicke, blasse Zunge mit einem dünnen weißen Belag sowie ein feiner, schwacher Puls. Die Behandlungsprinzipien konzentrieren sich auf eine Stärkung von Milz und Herz sowie auf Unterstützung und Aufbau von Blut und Chi. Eine chinesische Heilkräutermischung, die bei diesem Typus häufig verschrieben wird, nennt sich *Yang Xin Yi Pi Tang* („Absud zur Versorgung des Herzens und Kräftigung der Milz") mit entsprechenden Varianten. Außerdem sollte man bei der Ernährung auf eine nahrhafte, gekochte, warme, leichte und gesunde Kost achten. Mit nahrhaft meine ich, daß man zur Förderung der Blutbildung etwas mehr tierisches Eiweiß auf den Speiseplan des Kindes setzen soll. Suppen aus schwarzen Bohnen, Huhn oder Rinderbrühe sowie reichlich Wurzel- und grünes Blattgemüse sind ebenfalls gut geeignet. Akupunktur hat sich bei diesem Muster jedoch nicht als sonderlich erfolgreich erwiesen.

Das zweite Muster ist eine auf Yin-Mangel beruhende Yang-Hyperaktivität. Das Kind ist gewöhnlich dünn und sehr nervös. Der Begriff „Yin" bezieht sich in der Chinesischen Medizin sowohl auf die körperliche Substanz als auch auf die Versorgung des Blutes und anderer Körperflüssigkeiten. Ist das Yin gesund und in reichlichem Maße vorhanden, hält es das Yang unter Kontrolle. Yang bezieht sich auf Funktion und Aktivität, Wandel und Bewegung. Ferner steht es für Wärme und Hitze im Körper. Wenn nun das Yin aufgrund eines konstitutionellen Yin-Mangels oder übermäßigen Verbrauchs durch zu wenig Schlaf, langanhaltende psychische Belastung oder Einnahme von Medikamenten zurückgeht, wird das Yang hyperaktiv, so daß Hitze nach oben strömt und den Geist im Herzen stört. Kindern mit diesem Muster sind nicht nur dünn, sondern haben auch eine gerötete Zunge mit geringem Belag oder eine blasse Zunge mit einer roten Spitze. Ihr Puls ist fein und schnell, und sie leiden gewöhnlich an Schlaflosigkeit, Herzklopfen, Aufregung, Schwindel, Tinnitus (Ohrenklingen), eventuell an Schmerzen im unteren Rückenbereich sowie zum Teil an nächtlichem Bettnässen, geröteten Wangen und nächtlichen Schweißausbrüchen. Behandlungsschwerpunkte sind hier eine Unterstützung der Nieren, der Aufbau des Yin bei gleichzeitiger Unterdrückung des Yang sowie der Beruhigung des Geistes. Der TCM-Spezialist greift in diesem Fall zu Rezepten wie *You Yin Qian Yang Wan* („Tabletten zum Stärkung des Yin und Senkung des Yang") und ihren Abwandlungen. Dieses Muster bedarf gewöhnlich einer Behandlung, die länger dauert als beim vorherigen Muster.

Das dritte Muster bei kindlicher Hyperaktivität ist eine Mischung aus Schleim, der die Tore des Herzens verschließt und Hitze, die den Geist stört. Die typischen Symptome sind starke Gereiztheit mit einem Hang zu Wutausbrüchen, Verärgerung und Unruhe, eventuell Übelkeit, eventuell starker Schleimauswurf, ein Spannungs- oder

Druckgefühl in der Brust, morgens beim Aufwachen ein bitterer Geschmack im Mund, eine rot geränderte Zunge mit einem schleimigen, gelben Belag sowie ein fadenförmiger, hoher Puls. Die Behandlungsprinzipien sind eine Beseitigung der Hitze mit gleichzeitiger Schleimumwandlung sowie eine Regulierung des Chi-Flusses. Bei diesem Muster verschreiben TCM-kundige Ärzte gerne *Huang Lian Wen Dan Tang* („Coptis-Absud zur Erwärmung der Gallenblase") sowie seine entsprechenden Abwandlungen, eine ausgesprochen wirkungsvolle Heilkräutermischung, die überraschend schnell anschlägt. Da dieses Muster durch Schleimbildung kompliziert wird und die Milz die Wurzel der Schleimbildung darstellt, muß der Patient Lebensmittel, die zum einen die Milz schwächen (rohe, gekühlte oder kalte Speisen sowie Zucker und Süßigkeiten) und zum anderen zu Feuchtigkeits- und Schleimbildung im Körper führen (Zucker, Süßigkeiten, Milchprodukte, fette und gebratene Speisen) vermeiden. Nachdem sich dieses Muster zumindest teilweise auf schlechten Chi-Fluß infolge einer emotionalen Belastung zurückführen läßt und man mittels Akupunktur den Chi-Fluß wieder anregen und befreien kann, hat sich diese Technik als hilfreiche Begleitbehandlung herausgestellt.

Masern

Masern ist eine akute, epidemische Infektionskrankheit, die vom Masern-Virus verursacht wird. Masern können Kindern jeder Altersstufe und auch Erwachsene, die noch nie zuvor Masern hatten, befallen. Die Krankheit tritt bevorzugt im Frühjahr auf. Hat man einmal Masern gehabt, ist man sein Leben lang dagegen immun. Früher galten Masern besonders bei Kindern als lebensgefährlich. Inzwischen hat sich aber in den westlichen Ländern über Generationen Immunität vererbt, so daß Masern heute kaum noch lebensbedrohlich sind.

Die Chinesische Medizinlehre führt Masern auf eine Kombination aus *tai du*, fötalen Giftstoffen und ein Eindringen von Krankheitserregern von außen zurück. Mit anderen Worten, der Mensch besitzt bereits gewisse Anlagen für Masern, nämlich die fötalen Toxine. Fötale Toxine sind Giftstoffe, die während der Schwangerschaft entstehen. Nicht jeder Mensch entwickelt dieselben Giftstoffe oder die gleiche Menge davon. Einige Kinder erben oder entwickeln abhängig von Lebensstil, Ernährung und Gesundheitszustand der Mutter während der Schwangerschaft mehr fötale Giftstoffe als andere. Wenn die Mutter zum Beispiel kurz vor der Empfängnis oder während der Schwangerschaft an einer akuten fiebrigen Krankheit litt, kann das die Anlagen für mehr fötale Giftstoffe legen. Oder wenn sich die Mutter mit fetten, gebratenen Speisen ungesund ernährt und womöglich eine Menge Alkohol getrunken hat, kann auch dies zu einer vermehrten Ablagerung von fötalen Toxinen führen. Diese Giftstoffe „schlafen" dann im Körper, bis sie von äußeren Einflüssen „aufgeweckt" werden. Aus diesem Grund bezeichnet sie die Chinesische Medizin auch als *fu wen xie*, als „tiefliegende, warme Übel".

Die Chinesische Medizin unterteilt den Verlauf der Krankheit in zwei Grundtypen und drei Grundstadien. Zunächst gibt es die Fälle von Masern, bei denen die Krankheit einen normalen Verlauf nimmt. Im Gegensatz dazu stehen die Fälle mit einem anormalen Verlauf. Chinesische Ärzte sehen es als wünschenswert an, wenn der Masernausschlag am ganzen Körper ausbricht. Das gilt als Zeichen dafür, daß die gesunde Körperenergie über genügend Kraft zur Bekämpfung der Krankheit verfügt und diese „üble" Energie aus dem Körper herauswirft. Wenn diese während der Schwangerschaft gebildete „üble" Energie einmal aus der Körper heraus ist, ist man sie für immer los. Ist die gesunde Körperenergie jedoch nicht stark genug, um die Giftstoffe auszuscheiden, sinken diese wieder in den Körper zurück und können zu einem späteren Zeitpunkt im Leben die verschiedensten Krankheiten verursachen.

Die Tabelle auf der nächsten Seite vermittelt einen Überblick über einen normalen und einen anormalen Krankheitsverlauf:

175

	Günstige Symptome			Ungünstige Symptome
Stadium	vor Auftreten des Ausschlags	Auftreten des Ausschlags	Abklingen des Ausschlags	
Fieber	Schüttelfrost u. Fieber	ständiges Fieber	Fieber klingt ab	zu hohes oder zu niedriges Fieber, hohes Fieber klingt im Endstadium nicht ab
Husten	leicht	schlimmer	besser	hartnäckiger, starker Husten, Atemnot, Nasenflügelatmung
Geistiger Zustand	normal	unruhig	normal	Unruhe, geistige Verwirrtheit, Delirium
Schwitzen	leicht	leicht	leicht	kein Schwitzen, Haut fühlt sich trocken-heiß an, oder starke Schweißausbrüche bei kalten Gliedern
Ausbruchs-reihenfolge	Haaransatz hinter den Ohren, Hals, Gesicht, Rücken, Brust, Extremitäten Nase, Hände, Füße			verzögerter Ausbruch oder verfrühtes Abklingen des Ausschlags
Verteilung	gleichmäßig			undefinierbar, weit verstreut oder sehr dicht und flächendeckend; in ernsten Fällen kein Ausschlag im Gesicht und auf der Nase
Farbe	hellrot und feuchtaussehend			blaß und fahl oder dunkellila

Vor dem Ausbruch des Ausschlags sind die Symptome bei normalem Verlauf wie folgt: leichter Husten, wässrige, gerötete Augen und Lichtscheu, dicke geschwollene Augenlider, geistige Trägheit und allgemeine Mattigkeit, eventuell Erbrechen oder Durchfall, rauher Hals, grauweiße, rotumrandete Flecken im Mund (Koplik-Flecken), ein dünner weißlicher oder gelblicher Zungenbelag sowie ein fluktuierender, schneller Puls. Diese Symptome entsprechen im großen und ganzen den beiden chinesischen Organbegriffen Lunge und Milz. Die Behandlung zielt darauf ab, den Auswurf der fötalen Giftstoffe mittels scharfer, kühlend wirkender Medikamente zu fördern, sprich die Ausschlagbildung zu beschleunigen. Eine der für diese Zwecke am häufigsten verwendete Kräutermischung ist *Sheng Ma Ge Gen Tang* („Absud aus Cimicifuga und Pueraria") in ihren verschiedenen Derivaten. Da es sich hierbei im Grunde um ein Windhitzemuster mit Milz-Komplikation handelt, sollte man nicht versuchen, das Fieber mit kaltem Wasser, sei es als kaltes Bad oder Abreiben, zu senken. Ein derartiger Kälteeffekt von außen würde die Poren der Haut verschließen und eine Ausscheidung des Ausschlags verhindern.

Für ein rasches und vollständiges Ausheilen des Ausschlags kennt die Chinesische Medizin auch mehrere einfache Hausmittel. Man kann zum Beispiel 250–500 gr frischen Koriander in Wasser kochen, abkühlen lassen und den Oberkörper mit dieser Lösung abreiben. Oder man zerdrückt 5 gr Sonnenblumenkerne und kocht daraus einen Tee, der zweimal täglich einzunehmen ist. Eine dritte Lösung ist eine Mischung aus Karotten, Petersilie und Wassernüssen, die zusammen gekocht und anschließend gegessen werden. Zusätzlich kann man auch 150 gr Kirschkerne in 4 Tassen Wasser kochen und den Körper mit dieser Flüssigkeit abreiben.

In der Ausbruchsphase weist der Patient gewöhnlich hohes, nicht abklingendes Fieber, starken Durst und Bedürfnis nach Flüssigkeit, starken Husten, geistige Trägheit, verschwollene Augen, Reizbarkeit und Unruhe, eventuell bei hohem Fieber Delirium und Fieberkrämpfe sowie ein vermehrtes, rotes makulopapulöses Exanthem (Ausschlag) auf, das zunächst hinter den Ohren beginnt und sich weiter über Hals, Gesicht, Kopf, Brust, Rücken und Gliedmaßen ausdehnt. Der Ausschlag ist hellrot gefärbt und kann ein wässriges Sekret absondern. In einem späteren Stadium breitet sich der Ausschlag zum Teil flächendeckend aus; auch die Farbe wird dunkler. Die gerötete Zunge weist einen gelblichen Belag auf; der Puls ist schnell und tritt hervor. Die Behandlungsprinzipien sind die Beseitigung des Hitzezustands, das Ausleiten der Giftstoffe und das Auswerfen des Ausschlags. In diesem Stadium wird häufig eine Kräuterrezeptur namens *Qing Jie Tou Biao Tang* („Absud zur Reinigung, Ausleitung und Heilung des Äußeren") in entsprechend ergänzten oder gekürzten Varianten verschrieben.

Sollte es bei hohem Fieber zu Delirium kommen, empfiehlt es sich, einen Akupunktur-Spezialisten beizuziehen, der an mehreren Punkten ein paar Tropfen Blut abläßt. Die Symptome in diesem Stadium sind zum Teil auf „üble", also krankheitserregende Hitze im Blut zurückzuführen, die den im Herzen wohnenden Geist stört, der über das Blut versorgt wird. Indem man an bestimmten Punkten ein paar Tropfen Blut abläßt, zieht man einen Teil der Hitze aus dem Blut und senkt damit das Fieber.

Im dritten, ausklingenden Stadium geht der Ausschlag allmählich zurück. Die Haut schuppt sich, bis sie nach etwa 7–10 Tagen wieder ihr normales Aussehen erlangt. Das hohe Fieber geht zurück, der Geist erholt sich, Verdauung und Appetit werden von Tag zu Tag besser, und der Husten verschwindet allmählich ganz. Die gerötete Zunge weist kaum Flüssigkeit oder Belag auf; der Puls ist entweder fein und weich oder fein und schnell. Diese Symptome entsprechen einem Yin-Mangel-Muster, bei dem die Yin-Flüssigkeiten von dem lange anhaltenden Fieber ausgetrocknet wurden. Die Behandlung ist hier auf eine Unterstützung des gesunden Chi und die Versorgung des Yin bei gleichzeitigem Ausleiten der Hitze ausgerichtet. TCM-kundige Ärzte verschreiben in diesem Stadium häufig eine entsprechende Variante des *Sha Shen Mai Dong Tang* („Absud aus Glehnia und Ophiopogon").

Wenn Eltern befürchten, daß die Masern bei ihrem Kind anormal verlaufen, sollten sie auf alle Fälle einen TCM-erfahrenen Arzt konsultieren. Die Chinesische Medizin kennt verschiedene Muster eines anormalenVerlaufs und kann jedes dieser Muster entsprechend behandeln. Außerdem weiß die Chinesische Medizin auch mögliche Folgeerscheinungen erfolgreich zu heilen wie etwa subfebrile Fieberzustände am Abend, Schweißausbrüche während der Nacht, Verstopfung, Appetitmangel, Durchfall, allgemeine Ermüdungserscheinungen, Alpträume, trockene, juckende Hautflecken, Furunkel oder Geschwüre.

Früher hatten Eltern regelrechte „Masern-Partys" abgehalten, damit sich ihre Kinder in zartem Alter ansteckten. War bekannt, daß ein Kind Masern hatte, brachten die anderen Eltern ihre Kinder absichtlich auf einen Besuch vorbei, in der Hoffnung, daß sie sich bei dem kleinen Patienten mit den Krankheitserregern infizierten. Der Hintergrundgedanke war, daß es besser ist, wenn Kinder sehr früh ihre Masern „hinter sich bringen", weil die Krankheit mit fortschreitendem Alter in der Regel weniger harmlos ausfällt.

Röteln

Röteln ist eine relativ harmlose Infektionskrankheit, bei der es zu leichtem Fieber, Husten und einem fleckigen, hellroten, kurzzeitig erscheinenden Ausschlag kommt. Die westliche Schulmedizin führt Röteln auf eine Virusinfektion zurück. Die Krankheit trifft vorwiegend Kinder unter fünf Jahren und tritt bevorzugt im Winter und im Frühjahr auf. Nach der Chinesischen Medizin hingegen wird Röteln von Windhitze verursacht, die in die Lungen und in die Verteidigungsschicht des Chi eindringt. (Bei der Diagnose und Behandlung von Infektionskrankheiten beschreiben chinesische Ärzte manchmal die Tiefe, in die die Krankheitserreger vorgedrungen sind. Ganz oben liegt die Verteidigungsebene. Danach folgen die Chi-Ebene, die konstruktive Ebene und die Blutebene.) Manchmal unterscheiden Fachbücher auch zwischen einem harmlosen Zustand und einem schwereren, der sich durch vermehrte Hitze auszeichnet.

Die Symptome beim harmlosen Zustand sind Fieber, Abneigung gegen Wind, Husten, Schnupfen, ein blass- oder hellrotes, 1–2 Tage anhaltendes Exanthem (Ausschlag) mit begleitendem Juckreiz, das sich über den ganzen Körper ausbreitet, und ein fluktuierender, relativ schneller Puls. Die Chinesische Medizin behandelt den Zustand, indem sie den Wind vertreibt und die Hitze ausleitet. Typische chinesische Kräuterheilmittel sind hierfür modifizierte Abwandlungen des *Yin Qiao San* („Pulver aus Lonicera und Forsythia") und *Jia Wie Xiao Du Yin* („Trunk mit zusätzlichen Geschmacksstoffen zur Austreibung von Giftstoffen").

Der schwerere Zustand zeichnet sich durch mehr Hitze aus. Die Symptome sind relativ hohes Fieber, ein hellroter Ausschlag mit relativ dicht gepackten Flecken, Reizbarkeit, Durst, gelber, spärlicher Urin, rote Lippen und eine gerötete Zunge. Der immer noch fluktuierende Puls ist schneller als beim oben beschriebenen Muster. Die Behandlung wirkt über Hitzeausleitung und Blutkühlung, was mit Heilkräutermischungen wie *Qiao He Tang* („Absud aus Forsythia und Minze") und *Tou Zhen Liang Jie Tang* („Absud zur Ausscheidung des Ausschlags, Kühlen und Heilen") in den entsprechenden Abänderungen erreicht wird.

Röteln sind gewöhnlich harmlos und unkompliziert; der Patient erholt sich im Normalfall schnell wieder. Allerdings ist es besser, wenn man die Krankheit bereits als Kind durchgemacht hat. Steckt sich hingegen eine erwachsene Frau im Anfangsstadium der Schwangerschaft mit Röteln an, besteht die Gefahr einer Mißbildung des Embryos. Wenn man also als Eltern sein Kind – und das gilt insbesondere für Mädchen – nicht gegen Röteln impfen lassen möchte, ist eine „Röteln-Party" eine gute Idee.

Windpocken (Varizellen)

Windpocken sind eine akute, epidemisch auftretende Infektion mit dem Varizella-Zoster-Virus, die häufig bei Kindern auftritt. Besonders anfällig sind Kinder unter 15 Jahren. Die Krankheit, die vorwiegend im Winter und im Frühjahr ausbricht, ist hochgradig anstekkend. Die Symptomatik ist jedoch in der Regel relativ harmlos und erlaubt eine vollständige Genesung. In China heißt diese Krankheit *shui dou*, Wasserpocken, da überall am ganzen Körper kleine, wässrige Blasen entstehen. Wie bei Röteln unterteilt die Chinesische Medizin auch Windpocken in zwei Hauptkategorien:

Das erste Muster ist eine mit Feuchtigkeit vermischte Windhitze. Die Symptome sind Fieber, Kopfschmerzen, verstopfte oder laufende Nase, Husten sowie ein feuchter, roter Ausschlag aus Wasserbläschen, die mit einer klaren Flüssigkeit gefüllt sind. Diese Bläschen treten zuerst auf der Kopfhaut, im Gesicht und am Oberkörper auf. Urin und Stuhl sind normal, die Zunge weist einen dünnen, weißen Belag auf, und der Puls ist fluktuierend und schnell. Die Windhitze ist auch hier wieder in die Lungen und in die äußeren Körperbereiche eingedrungen. Da der Ausschlag aus Wasserbläschen besteht, geht die Chinesische Medizin davon aus, daß auch Feuchtigkeit am Prozeß beteiligt ist. Die Behandlungsprinzipien sind daher ein Ausleiten von Wind und Hitze bei gleichzeitiger Austrocknung der Feuchtigkeit.

Die für diese Zwecke am häufigsten verwendete Rezeptur ist *Yin Qiao San* („Pulver aus Lonicera und Forsythia"), das von Fall zu Fall entsprechend angepaßt wird. Diese Mischung tauchte bereits bei verschiedenen Krankheiten auf, denen ein Windhitze-Muster zugrunde liegt. Daran läßt sich sehr schön erkennen, daß die Traditionelle Chinesische Medizin die Behandlung auf das jeweilige Muster abstimmt und daß unterschiedliche Krankheiten oftmals gleich behandelt werden, wenn ihnen dasselbe Muster zugrundeliegt.

Das zweite Muster ist eine flammende innere Hitze und Überschuß. Charakteristisch hierfür sind Fieber, Verärgerung und Erregung, trockener Mund und rote Lippen, gerötetes Gesicht, spärlicher gelber Urin, große, dicht aneinander gereihte, violette Pocken, die mit einer schmutzigen Flüssigkeit gefüllt sind, sowie ein hervortretender, schneller Puls. Die Behandlungsprinzipien sind hier eine Beseitigung der Hitze, die Ausleitung der Giftstoffe und ein Aufsaugen der Feuchtigkeit. Typische chinesische Heilkräutermischungen wären in diesem Fall *Qing Li Jie Du Tang* („Absud zur Reinigung des Inneren und Ausleitung von Giftstoffen") sowie *Qing Ying Tang* („Absud zur Reinung des Konstruktiven"), die je nach Symptomatik des betroffenen Kindes entsprechend variiert werden.

Nachdem es sich hier um einen feuchten Hitzezustand handelt, kann eine Suppe oder ein dünnflüssiger Brei aus Mungobohnen hilfreich sein. Es versteht sich von selbst, daß der kleine Patient oder die kleine Patientin keine scharf gewürzten oder fetten Speisen erhalten dürfen. Das bedeutet, auch keine Chips oder Schokolade. Auch sollen die Kinder nach Möglichkeit nicht an den Pusteln kratzen, da es sonst zu Narbenbildung und Entzündungen kommen kann. Tritt aus den Pusteln Flüssigkeit aus oder besteht Infektionsgefahr, kann der TCM-Arzt verschiedene Kräuterspülungen zur äußerlichen Anwendung verschreiben.

Scharlach

Wir hatten das Thema Scharlach bereits im Unterkapitel „Strepto-kokkeninfektion des Rachenraums" angerissen. Scharlach ist eine weitere akute Infektionskrankheit, die mit Fieber, entzündetem, geschwollem Rachen sowie einem diffusen hellroten Ausschlag am ganzen Körper einhergeht. Im Gegensatz zu den vorher aufgeführten Krankheiten ist Scharlach jedoch nicht auf eine Virusinfektion zurückzuführen, sondern baktierell bedingt. Wie so viele andere akute Infektionskrankheiten kommt Scharlach vorwiegend im Winter und im Frühjahr vor und befällt vorwiegend Kinder im Alter zwischen zwei und acht Jahren.

Die Chinesische Medizin unterscheidet bei Scharlach drei Hauptmuster. Das erste ist „Übel", das die Lungen und die Verteidigungsebene befällt. Die Symptome sind Fieber (von niedrig bis hoch), eine leichte Abneigung gegen Kälte, Durst, Kopfschmerzen, Husten, entzündeter Rachen, gerötete Haut, ein diffuser hellroter Ausschlag, eine gerötete Zunge mit einem dünnen, weißen Belag sowie ein fluktuierender, schneller Puls. Die Behandlungsprinzipien lauten: Reinigung der Lungen, Ausleiten der Hitze, Ausscheiden des Ausschlags mit Hilfe scharf wirkender, kühler Kräuter sowie Beruhigung der Rachenentzündung. Auch hier greifen chinesische Ärzte wieder gerne zu *Yin Qiao San* („Lonicera-Forsythia-Pulver"), dem jedoch noch spezielle Ingredienzien zum vollständigen Ausbruch des Ausschlags zugefügt werden.

Das zweite Muster beinhaltet „giftige Übel", die in das Chi und die konstruktiven Schichten eindringen. Typisch dafür sind hohes Fieber, ein stark gerötetes Gesicht, Durst und Bedürfnis nach Flüssigkeit, schmerzhafte Schwellung und Entzündung des Rachenraums, ein dichter, hellroter oder ins Violette gehender Ausschlag, trockener Stuhl, spärlicher, rötlich-gelber Urin, rote Zunge mit entzündeten, hervortretenden Papillen (Himbeerzunge) und anfänglichem tiefgelben, rauhem Belag sowie ein schneller, hektischer Puls. Die Chinesische Medizin versucht hier, die Chi-Ebene zu reinigen, die konstruktiven Schichten zu kühlen, das Feuer abzuleiten und die

Giftstoffe zu entfernen. Eine Rezeptur, die diese Prinzipien erfüllt, ist zum Beispiel *Lian Ying Qing Pi Tang* („Absud zur Kühlung des Konstruktiven und Reinigung des Chi") und eventuelle Varianten. Hält das hohe Fieber über einen längeren Zeitraum an, kann dies die gesunden Yin-Flüssigkeiten des Organismus angreifen und aufzehren. In der Endphase der Krankheit kann daher dieses dritte Scharlach-Muster auftreten, nämlich ein Yin-Mangel-Muster mit schleichender Hitze. Die Symptome sind ein allmähliches Abklingen des hohen Fiebers, Abheilen des Ausschlags, trockene, schuppige, sich schälende Haut, Rückgang der Rachenentzündung, Durst, trockene Lippen, trockener Husten, gerötete Zunge mit wenig Speichel sowie ein feiner, schneller Puls. Die Behandlung erfolgt über eine Stärkung des Yin zur vermehrten Flüssigkeitsproduktion, eine Beseitigung der Hitze und eine Befeuchtung des Rachenraums. Wir haben bereits in den anderen Beispielen gesehen, daß die Chinesische Medizin in der Genesungsphase von Fieberkrankheiten gerne mit *Sha Shen Mai Dong Tang* („Absud mit Glehnia und Ophiopogon") und entsprechenden Varianten arbeitet, und hier paßt dieses Mittel ebenfalls. Zur zusätzlichen Anregung der Flüssigkeitsproduktion kann man darüber hinaus Birnen- oder Apfelkompott, etwas Zucker oder auch heiße Milch zu sich nehmen.

Scharlach kann eine gefährliche Krankheit werden, wenn sie nicht gründlich behandelt wird. Eine tägliche Akupunkturbehandlung zur Ableitung von Hitze und Feuer hat sich als hilfreich erwiesen. Als mein eigener Sohn einmal Scharlach hatte, haben wir ihn nicht mit Antibiotika, sondern nur mit chinesischen Heilkräutern behandelt. Nach einer gewissen Zeit schälte sich bei ihm die ganze Haut an den Handflächen und den Fußsohlen. Er hatte daraufhin nie Probleme mit Herzklopfen oder anderen rheumatischen Herzbeschwerden. Mit anderen Worten: Antibiotika können bei Scharlach zwar in Erwägung gezogen werden, sind aber nicht zwingend notwendig, da sich die Krankheit auch mit chinesischen Heilkräuterrezepturen heilen läßt.

Mumps

Mumps, auch Ziegenpeter genannt, ist eine epidemisch auftretende Entzündung der Ohrspeicheldrüse. Diese Virusinfektion kann Personen aller Altersklassen befallen, läuft jedoch im Kindesalter generell harmloser ab als bei Erwachsenen. Hat man einmal Mumps gehabt, ist man – wie bei vielen anderen Viruserkrankungen auch – den Rest seines Lebens dagegen immun, wobei es bei Mumps aber in seltenen Fällen auch zu Zweitinfektionen kommen kann. Winter und Frühjahr sind auch hier wieder die typischen Ansteckungszeiten. Die Chinesische Medizin bringt entzündete, schmerzhafte Schwellungen häufig mit Giftstoffen in Verbindung. Giftstoffe sind gewöhnlich (nicht immer) warm oder heiß. Giftstoffe rufen häufig oft äußerst schmerzhafte, gerötete, manchmal auch eitrige Schwellungen hervor. Aus diesem Grund unterteilt die Chinesische Medizin Mumps in zwei Hauptmuster: 1) Hitze-Giftstoffe im äußeren Körperbereich und 2) Hitze-Giftstoffe im Körperinneren.

Die Symptome bei Hitze-Giftstoffen in den äußeren Körperbereichen sind leichtes Fieber, eine leichte Abneigung gegen Kälte, schmerzhafte Schwellung der seitlich am Hals unter den Kieferknochen gelegenen Ohrspeicheldrüse (entweder einseitig oder beidseitig), Schluckbeschwerden, roter, entzündeter Rachen, rote Zunge mit einem dünnen, weißen oder leicht gelblichen Belag und ein schneller, fluktuierender Puls. Die Behandlungsprinzipien sind das Ausleiten von Wind und Hitze, die Auflösung von Knötchen und die Beseitung der Schwellung. TCM-kundige Ärzte arbeiten auch hier wiederum gerne mit *Yin Qiao San* („Lonicera-Forsythia-Pulver"), das entsprechend ergänzt oder reduziert wird.

Die Symptome bei Hitze-Giftstoffen im Körperinneren sind hohes Fieber, Kopfschmerzen, Durst mit Verlangen nach Flüssigkeit, eventuell Erbrechen, Schwellung und Ausdehnung der Ohrspeicheldrüsen, die hart und druckempfindlich sind, entzündeter Rachen mit Röte und Schwellung, rote Zunge mit gelben Belag und ein schlüpfriger, schneller Puls. Hier zielt die Behandlung auf Ausleitung der Hitze, Befreiung von Giftstoffen und Auflösen der harten Schwellung ab. *Pu Ji Xiao Du Yin* („Trunk zum Ausleiten von Giftstoffen") und entsprechende Varianten sind in diesem Fall eine gute Lösung. Da es sich bei diesen beiden Mustern um Hitze-Muster handelt, sollten die Patienten fette oder scharf gewürzte Speisen vermeiden. Die Chinesische Medizin kennt bei Mumps eine Reihe einfacher Hausmittel, so zum Beispiel eine Suppe aus 20 gr in Wasser gekochten getrockneten Lilienblüten (im China- oder Naturkostladen erhältlich), die man noch mit einer Prise Salz abschmecken kann. Zur äußeren Anwendung kann man entweder 10 gr geschälten und gequetschten Knoblauch in 10 ml Reisessig einweichen und außen auf die geschwollenen Drüsen auftragen oder eine Kartoffel auspressen, den Saft mit Essig mischen und auf die Schwellung aufstreichen. Oder man zermahlt 50–70 gr Adukibohnen, vermengt das Pulver mit warmen Wasser und einem Eiweiß oder Honig zu einer Paste, die auf die geschwollenen Drüsen aufgestrichen und mit einem Verband bedeckt wird. Eine weitere Alternative sind frische Hibiskusblätter oder frischer Portulak, die zu einer Paste vermahlen und auf die Drüsen aufgelegt werden. Der hier verwendete Portulak ist der Gemeine Portulak, auch Burzelkraut genannt, der als Unkraut im Garten und am Wegesrand wächst. Auch Akupunktur kann zur Linderung der Halsschmerzen und Beschleunigung des Heilungsprozesses beitragen.

Natürlich kann man auch zum Abschwellen der schmerzenden Drüsen (sei es bei Mumps oder einer anderen Krankheit) abwechselnd heiße und kalte Wickel einsetzen. Man taucht dazu ein Handtuch in heißes Wasser ein, wringt es aus, bis es nicht mehr tropft und wickelt es dem Kind so um den Hals, daß die geschwollenen Drüsen bedeckt sind. Um das nasse Handtuch legt man dann ein trockenes, damit nichts tropft und die Hitze besser gespeichert wird. Das Kind sollte dabei gut zugedeckt sein, sonst kühlt es aus. Nach etwa 15 Minuten nimmt man den warmen Wickel wieder ab und ersetzt ihn durch ein zweites Handtuch, das man zuvor in eiskaltem Wasser eingeweicht hat. Dies bleibt wiederum eingewickelt ca. fünf Minuten auf der betroffenen Stelle. Anschließend folgt wieder 15 Minuten lang ein heißer Wickel, dann wieder ein kalter. Den Vor-

185

gang kann man zur Linderung der Beschwerden und Unterstützung des Heilungsprozesses ein- bis dreimal täglich wiederholen.

Wenn Drüsen einmal hart angeschwollen sind, schwellen sie so schnell nicht wieder ab. Daher sollten Sie sich als Eltern keine Sorgen machen, wenn alle anderen Symptome schon verschwunden, die Drüsen aber noch geschwollen sind. Mumps kann bei Männern auch die Hoden, bei Frauen die Brust befallen, doch diese Komplikationen treten bei Kindern nur äußerst selten auf.

Diphterie

Diphterie ist eine akute bakterielle Infektion der oberen Atemwege. Dabei bildet sich auf der Schleimhaut im Rachenraum und in der Nase eine grauweiße Membran, begleitet von Fieber, Halsentzündung und Husten mit starkem Einatmungsgeräusch. Die Krankheit kann das ganze Jahr über, bevorzugt aber in Herbst und Winter auftreten. Kinder unter zehn Jahren sind besonders diphterieanfällig. Je jünger das Kind ist, desto schlimmer verläuft die Krankheit. Sie ist zwar in den westlichen Industrienationen nur noch selten anzutreffen, aber nachdem etliche Eltern ihre Kinder inzwischen nicht mehr dagegen impfen lassen wollen, möchte ich an dieser Stelle etwas zu den chinesischen Behandlungsmöglichkeiten bei Diphterie anführen. Dennoch sollte man sich bei Verdacht auf Diphterie nicht mit TCM begnügen, sondern sofort auch den Kinderarzt oder die Klinik aufsuchen, da die Krankheit lebensbedrohlich ist.

Nach Auffassung der Chinesischen Medizinlehre ist Diphterie eine saisonal bedingte Infektionskrankheit, die durch Eindringen eines besonders virulenten, heißen und krankheitserregenden Chi verursacht wird. Dabei unterscheidet man drei verschiedene Muster. Das erste ist Windhitze. Die Symptome sind leichtes Fieber, Entzündung und Schwellung im Rachenraum, grauweiße, fleckige Membran, die die Schleimhäute im hinteren Rachenbereich überzieht und kaum abzuschaben ist, Schluckbeschwerden, eine rote Zungenspitze, ein dünner, weißer Zungenbelag sowie ein fluktuierender, schneller Puls.

Mit der Behandlung versucht man, Wind und Hitze zu beseitigen sowie die Giftstoffe auszuleiten, was wieder einmal mittels *Yin Qiao San* („Lonicera- und Forsythia-Pulver") in entsprechenden Abänderungen erfolgt.

Das zweite Muster ist ein Yin-Mangel mit innerer Hitze. Die typischen Symptome sind eine entzündliche Rachenschwellung, wobei der obere Gaumen und das Gaumenzäpfchen von einer graugelben, streifenartigen Membran überzogen sind, trockener Mund und trockene Kehle, Fieber, Husten, eine rauhe Stimme, schlechter Atem, eine dunkelrote Zunge mit wenig Speichel und einem dünnen, gelben Belag sowie ein feiner, schneller Puls. Die Behandlungsprinzipien sind eine Nährung und Kräftigung des Yin sowie die Ausleitung von Hitze und Giftstoffen. TCM-erfahrene Ärzte verwenden in diesem Fall gerne Rezepturen wie *Yang Yin Qing Fei Tang* („Absud zur Nährung des Yin und Reinigung der Lungen"), die für diesen Diphterietyp entsprechend abgeändert werden.

Ein drittes klassisches Diphteriemuster ist Diphterie aufgrund von „äußerst schädlichen Übeln". Wie bereits erwähnt, handelt es sich dabei um einen extremen Typ von giftigen, heißen Krankheitserregern. Die Symptome sind eine starke Entzündung des Rachenraums (die grauweiße Membran erstreckt bis hinter die Mandeln), Halsschwellung, Husten, rauhe Stimme, Einatmungsgeräusche, Atemnot, Unruhe und Blaufärbung der Lippen. Die gerötete Zunge weist einen dicken, gelben Belag auf; der Puls ist schlüpfrig und schnell. Dieses Muster beschreibt ein sehr ernstes Diphterie-Stadium. Die Behandlung zielt darauf ab, die Hitze zu beseitigen, die Giftstoffe auszuleiten, den Schleim umzuwandeln und den Rachenraum zu beruhigen. Eine Rezeptur, die man in der Chinesischen Medizin häufig bei diesem Muster anwendet, ist *Shen Yian Huo Ming Yin* („Unsterblicher-Geist-Rette-Leben-Trunk"), die je nach Symptomatik des betreffenden Patienten individuell abgestimmt wird. Außerdem kann man zusätzlich zur Fiebersenkung und Entschwellung des Rachenraums mit Hilfe von Akupunkturnadeln bestimmte Stellen an den Fingerspitzen anstechen und ein paar Tropfen Blut ablassen.

Ein einfaches chinesisches Hausmittel bei Diphterie ist ein Tee aus Karottenspitzen. Man darf jetzt aber nicht der irrigen Auffassung verfallen, daß sich eine ernste, ja unter Umständen lebensbedrohliche Krankheit wie Diphterie mit Karottentee heilen läßt! Karottentee ist vielmehr nur ein zusätzliches Hilfsmittel, das anstelle eines andere Getränks getrunken werden kann.

Wunden und Verletzungen

Wie ich schon gesagt habe, sind Kinder einfach Kinder und werden daher nie ganz ohne blaue Flecke, Schnitte, Schürfwunden oder Brandblasen aufwachsen. Kinder besitzen noch keine voll ausgebildete Koordinationsfähigkeit und können Gefahren noch nicht richtig einschätzen. Aus diesem Grund möchte ich das Thema hier anführen, auch wenn die chinesische Fachliteratur über Kinderheilkunde dazu nicht viel schreibt, denn ich denke, daß viele Eltern sonst enttäuscht wären, wenn sie in diesem Werk nichts zu diesem Themenkomplex vorfinden würden.

Brandwunden
Die Chinesische Medizin kennt etliche Hausmittel, die gut bei Brandwunden helfen, so zum Beispiel frisch gepreßter Karotten-, Gurken-, Kartoffeln-, Aloe- oder Ingwersaft oder auch Honig, der direkt auf die Brandwunde aufgetragen wird. Alternativ kann man auch Sesamöl oder gemahlenen Sesam (*tahini*) aufstreichen.

Ich warne zwar generell vor asiatischen Fertigpräparaten und „Wunderpillen", doch für Wunden und Verletzungen gibt es einige schon fertig zubereitete Heilmittel zu kaufen, die als Erste-Hilfe-Maßnahme zur äußeren Anwendung absolut sicher und zuverläßig wirken. Bei einer Verletzung benötigt man ja ein Medikament, das bereits fertig zubereitet ist und sich sofort verwenden läßt. Da die meisten dieser Präparate nicht innerlich eingenommen werden, sind sie absolut gefahrlos. Eines dieser Mittel ist eine Salbe für Brandverletzungen namens Ching-Wan-Brandsalbe. Sie ist in chinesischen

Apotheken in großen Städten erhältlich oder bei Versendern chinesischer Medikamente.

Prellungen und Blutergüsse

Eine Prellung oder ein Bluterguß ist eine geschlossene Wunde, die durch Schlageinwirkung oder Aufprall nach einem Sturz verursacht wird. Bei einem Bluterguß bildet sich ein blauer Fleck, der in der Chinesischen Medizin „statisches Blut" genannt wird. Bei einem Sturz oder Schlag platzen oder reißen die Blutgefäße an der betreffenden Körperstelle auf, wobei Blut austritt und sich außerhalb der Gefäße ansammelt. Die Chinesische Medizin versucht daher, diesen Blutstau zu beseitigen und das Blut wieder zum Fließen zu bringen. Zwei chinesische Fertigpräparate zur äußerlichen Anwendung bei Prellungen und Blutergüssen sind *Tieh Ta Yao Gin* und *Wan-Hua-Öl*.

Schnittwunden

Zur Stillung der Blutung kann man verkohltes Menschenhaar auf die Wunde streuen. Dazu gibt man ein paar abgeschnittene Haarsträhnen in einen gußeisernen, verschlossenen Topf und stellt diesen in den heißen Ofen. Es empfiehlt sich, dabei alle Türen und Fenster weit aufzumachen, weil sich bei diesem Backvorgang ein starker Schwefelgeruch entwickelt. Wenn das Haar im Topf verkohlt ist, läßt man es abkühlen und zerreibt es zu einem feinen Pulver, das dann in ein leeres Marmeladen- oder Einweckglas verstaut und für Notfälle aufbewahrt wird. Chinesische Apotheken in großen Städten führen Crinis Carbonisatus (*Xue Yu Tan*) auch als Fertigpräparat. Ein weiteres Hausmittel zur Blutstillung ist Alum (Bai Fan) oder trockener geriebener Ingwer, der über die Wunde gestreut wird. Ferner gibt es ein chinesisches Fertigpräparat, *Yunnan Bai Yao*, das entweder in Pulverform auf die Schnittwunde gegeben oder bei schlimmeren Verletzungen zur innerlichen Blutstillung als Tabletten eingenommen wird.

Falls sich eine Schnittwunde entzündet – was ja bei Kindern leicht geschehen kann, wenn sie im Schmutz spielen oder Krusten auf-

189

kratzen –, können Eltern eine Packung aus zerquetschten Kletten-
wurzeln zubereiten und warm auf die betroffene Stelle auflegen.
Klettenwurzel ist eine weit verbreitete Pflanze, die man entweder
selbst sammeln oder im Naturkostladen kaufen kann. Ein weiteres
Hausmittel ist ein Umschlag aus rohem, zerquetschten Knoblauch.
Gleichzeit sollte man 1 Tasse Wasser mit 1 Tasse frisch gepreßtem
Daikon-Wurzelsaft trinken. Oder man zermahlt etwas Rhabarber-
wurzel (lat. Radix et rhizoma rei, chin. *Da Huang* oder *Chuan Jun*),
vermischt sie mit Honig zu einer Paste und trägt sie auf die Wunde
auf.

Zerrungen und Verstauchungen

Beim Spielen passiert es schnell, daß sich Kinder einmal den Knöchel
verstauchen oder ein Gelenk zerren. In der westlichen Medizin ist es
üblich, sofort Eis auf die Wunde zu legen. Nach der Chinesischen
Medizin darf man die ersten 24 Stunden mit Eis arbeiten, sollte es
dann aber nicht weiter verwenden, da durch die starke Kälteeinwir-
kung der ohnehin schon durch die Verletzung aufgestaute Blutfluß
weiter gestockt wird. Wenn das Gelenk immer noch angeschwollen,
heiß und entzündet sein sollte, kann man eine Packung aus geriebenen Kartoffeln oder Taro (Wasserbrotwurzel), die zur besseren Halt-
barkeit mit etwas Mehl vermengt werden, auf die betroffene Stelle
auflegen. Das löst nicht nur die Hitze und damit auch die Entzündung,
sondern auch die Feuchtigkeit, die mit der Schwellung und dem Bluterguß zu tun hat. Gut wirkt im geschwollenen, entzündlichen Stadium
auch ein Umschlag aus zerdrücktem Tofu und etwas Mehl, der alle
paar Stunden gewechselt wird. Die betroffene Stelle sollte dabei un-
beweglich bleiben und hoch gelagert werden.

Ist die Verzerrung oder Verstauchung nicht mehr heiß und gerötet, aber noch sichtlich geschwollen, schafft ein Umschlag aus ge-
kochtem, mit etwas Mehl vermengten Buchweizen auf die Verletzung gelegt Abhilfe. Der Buchweizen löst die Feuchtigkeit und damit
den Bluterguß.

Es gibt außerdem sogenannte „Schlag-Tabletten" (*Dieh da wan*
oder *Tieh ta wan*, je nachdem, ob sie in China oder in Hongkong/

Taiwan hergestellt werden). Sie enthalten ein Mischung aus zermahlenen Kräutern und Honig. Diese Zutaten helfen, den Stau aufzulösen, den Chi- und Blutfluß wieder in Gang zu bringen und lindern die Schmerzen. Man nimmt davon ein- bis zweimal täglich eine halbe bis eine Tablette ein. Sie wirken selbst bei ernsteren Verrenkungen, Verstauchungen, Prellungen, ausgerenkten Gelenken und Knochenbrüchen, sofern *keine deutlich sichtbare Blutung* vorliegt. Darüber hinaus gibt es noch eine Reihe weiterer chinesischer Kräuterpackungen, Pflaster und Einreibemittel, die Ihr TCM-Spezialist auf Vorrat hat. Für Eltern mit äußerst lebhaften, unfallträchtigen Kindern kann es ausgesprochen nützlich sein, einen Vorrat dieser chinesischen Erste-Hilfe-Medikamente in ihre Hausapotheke mit aufzunehmen. Eine simple Einreibelösung kann man selbst herstellen, indem man ein paar trockene Saflorblüten in Essig kocht, die Blüten anschließend abseiht und die Lösung für spätere Zwecke in eine Flasche füllt.

Splitter

Hat sich das Kind einen Dorn, einen Splitter oder einen anderen *kleinen* Fremdkörper eingezogen, erleichtert man sich die „Operation" des Entfernens, indem man zunächst eine halbe Zwiebel im Ofen weichbäckt und noch warm eine Zeitlang auf die betroffene Stelle auflegt.

Insektenstiche

Ein einfaches chinesisches Hausmittel bei Bienen- und anderen Insektenstichen ist Knoblauchsaft, der auf die betroffene Körperstelle aufgetragen wird. Linderung bringen auch Teeblätter, die zu einem Brei gekocht und dann als Packung auf den Stich gelegt werden. Oder man bereitet sich eine Heilpackung aus Taro und etwas Salz zu und gibt dies über die Verletzung.

Kapitel 8

Fallbeispiele

Die im folgenden aufgeführten Fallbeispiele sollen eine Vorstellung darüber vermitteln, wie ich Säuglinge und Kleinkinder therapiere. Der Leser wird schnell erkennen können, daß ich als TCM-Arzt vorwiegend mit innerlich einzunehmenden chinesischen Heilkräutern arbeite. Akupunktur setze ich bei kleinen Kindern nur äußerst selten ein. Das ist allerdings in gewisser Weise eine subjektive Gewichtung, und wenn Sie mit Ihrem Kind zu einem anderen Spezialisten für Chinesische Medizin gehen, wird dieser vielleicht vermehrt Akupunktur, Laserakupunktur, Magnettherapie oder andere chinesische Behandlungstechniken einsetzen.

Husten

Fall 1: Die Patientin war ein neun Monate altes kleines Mädchen. Ihre Hauptbeschwerde war ein feuchter Husten. Außerdem lief grünlicher Schleim aus ihrer Nase. Sie lag nachts lange wach und hatte Atemschwierigkeiten. Seit einiger Zeit hatte sie nur noch alle drei Tage Stuhlgang, der gewöhnlich hart und trocken war. Als die Eltern sie zu mir brachten, war der Stuhl jedoch breiig und enthielt Schleim. Die Mutter sagte mir, daß sie vor zwei Tagen mit dem Zahnen begonnen hatte.

Der feuchte Husten bedeutet, daß sich in den Lungen überschüssiger Schleim angesammelt hatte. Die grüne Farbe des aus der Nase tropfenden Schleims läßt auf krankhafte Hitze in den Lungen schließen. Verstopfung und trockener Stuhl bedeuten ebenfalls eine Überhitzung. Der zum Zeitpunkt der Untersuchung flüssige Stuhl mit Schleim legte jedoch einen Milzmangel mit übermäßiger Schleimbildung und Feuchtigkeit nahe. Ich stellte daher die Diagnose „Lungenhitze mit Milzfeuchte". In diesem Fall therapiert man, indem man die Hitze aus den Lungen ausleitet, gleichzeitig die Milz stärkt, den Schleim umwandelt und die Feuchtigkeit beseitigt.

Ich verschrieb daher eine Rezeptur, die folgende chinesische Heilkräuter enthielt:

Rhizoma Anemarrhenae (*Zhi Mu*)
Bulbus Fritillariae (*Bei Mu*)
Rhizoma Pinelliae Ternatae (*Ban Xia*)
Sclerotium Poriae Cocos (*Fu Ling*)
Pericarpium Citri Reticulatae (*Chen Pi*)
Radix Scutellariae Baicalensis (*Huang Qin*)
Cortex Radicis Mori Albi (*Sang Bai Pi*)
Fructus Perillae Frutescentis (*Zi Su Zi*)
Radix Angelicae Dahuricae (*Bai Zhi*)

Die Bestandteile Anemarrhena, Scutellaria und Cortex Mori nehmen die Hitze aus Lungen und Oberkörper. Poria, Citrus und Pinellia stärken die Milz und beseitigen die Feuchtigkeit, während Pinellia Citrus und Fritillaria Schleim umwandeln. Fructus Perillae leitet das Lungen-Chi nach unten und löst damit den Husten, und Angelica ist ein spezielles empirisches Heilmittel für grünen Schleim in der Nase. Jede dieser Ingredienzien ist also eigens ausgewählt, weil ihre Eigenschaften eines oder mehr Behandlungsprinzipien erfüllen oder ein bestimmtes Symptom lindern.

Die Mutter erhielt ein Päckchen dieser Kräuterrezeptur mit der Anweisung, sie mit zwei Tassen Wasser zu vermischen und so lange zu kochen, bis etwa 1 Tasse Flüssigkeit übrigblieb. Von diesem Absud sollte sie dem Kind vier- bis sechsmal täglich 2 Tropfen einflößen. Ich riet der Mutter ferner, dem Kind keine Milchprodukte und keine zuckerhaltige Speisen, also auch keine Obstsäfte zu geben. Drei Tage später rief mich die Mutter an und sagte mir, die Kräuter hätten „perfekt" gewirkt, der Schleim sei fast gänzlich weg, und vom Husten hörte man fast nichts mehr. Ich wies die Mutter an, die Kräuter abzusetzen, und nach ein, zwei Tagen war das Kind völlig beschwerdefrei.

Fall 2: Die Patientin war ein acht Monate altes kleines Mädchen. Seit ein paar Tagen litt sie an Schnupfen mit gelber Schleimsekretion. Erst vor kurzem war auch Husten dazugekommen. Ihre Mutter meinte, das Zahnen könnte schon begonnen haben. Das Mädchen hatte kein Fieber, brauchte aber mehr Schlaf als normal. Ihre Augen wirkten matt, und sie hatte keinen Appetit. Die Glieder fühlten sich kalt an; die Mutter sagte mir hierzu, daß dies schon von Geburt an der Fall gewesen sei. An der Nasenwurzel zwischen ihren Augen war deutlich eine blaue Vene sichtbar. Ich diagnostizierte daher Milzmangel kombiniert mit Hitze und Schleim in den Lungen. Der Schleim war am feuchten Husten, die Hitze am gelben Nasensekret und der Milzmangel an den kalten Gliedern, der allgemeinen Mattigkeit und dem Appetitmangel ersichtlich. Die Behandlung mußte daher darauf abzielen, die Milz zu stärken, das Chi aufzubauen, die Hitze zu beseitigen und den Schleim umzuwandeln. Die Diagnose war hier zwar ähnlich wie bei dem kleinen Mädchen zuvor, doch in diesem Fall war der Milzmangel ausgeprägter. Ich verschrieb daher folgende Rezeptur:

Sclerotium Poriae Cocos (*Fu Ling*)
Rhizoma Pinelliae Ternatae (*Ban Xia*)
Pericarpium Citri Reticulatae (*Chen Pi*)
Radix Codonopsis Pilosulae (*Dang Shen*)
Rhizoma Atractylodis Macrocephalae (*Bai Zhi*)
Radix Scutellariae Baicanlensis (*Huang Qin*)
Semen Pruni Armeniacae (*Xing Ren*)
Fructus Perillae Frutescentis (*Zi Su Zi*)
Fructus Germinatus Oryzae Sativae (*Gu Ya*)
Corneum Entothelium Gigeriae Galli (*Ji Nei Jin*)

Codonopsis, Atractylodes und Poria stärken die Milz und kräftigen das Chi. Pinellia, Armeniaca, Perilla und Citrus hingegen wandeln den Schleim um und lösen den Husten. Scutellaria zieht die Hitze aus den Lungen. Und Oryza und Corneum Endothelium Gigeriae Galli lösen den Nahrungsstau im Magen und wirken appetitanregend.

Ich wies die Mutter an, die Rezeptur wie oben beschrieben zuzubereiten und zu verabreichen. Ferner klärte ich sie über eine richtige Ernährung bestehend aus gesunder, leicht verdaulicher Kost auf, die weder Zucker noch Milchprodukte, Obstsäfte oder rohe Speisen enthält. Zwei Tage später rief mich die Mutter an und teilte mir mit, daß das Kind nicht mehr erschöpft wirkte, die Gliedmaßen wieder wärmer waren, Husten und Schnupfen weg waren und der Appetit wieder zurückgekehrt war.

Erbrechen

Fall 1: Der Patient war ein zwei Monate alter kleiner Junge. Seit seiner Geburt erbrach er dicken weißen Schleim, einmal sogar alle paar Tage hintereinander. In den letzten drei Wochen klang sein Atmen stark schleimhaltig. Er hatte keine Darmkolik, doch sein Stuhl war wässrig-dünnflüssig. Seine Mutter sagte mir, der Urin sei ganz hell, „ganz erstaunlich klar". Der Bub hatte kaum Appetit und schien erschöpft. Meine Diagnose lautete: „Erbrechen aufgrund eines kalten Magens". Der weiße Schleim, der klare Urin, die allgemeine Müdigkeit, der Appetitmangel und der flüssige Stuhl deuteten allesamt auf einen milzmangelinduzierten kalten Erbrechenstypus mit Schleim- und Feuchtigkeitsbildung hin. Die Behandlung mußte also auf eine Stärkung der Milz und Erwärmung der Mitte, Schleimumwandlung und Lösen des Brechreizes ausgerichtet sein. Ich stellte daher folgende Kräutermischung zusammen:

Radix Panacis Ginseng (*Ren Shen*)
Rhizoma Atractylodis Macrocephalae (*Bai Zhu*)
Rhizoma Pinelliae Ternatae (*Ban Xia*)
Radix Glycyrrhizae (*Gan Cao*)
Rhizoma Zingiberis (*Gan Jiang*)
Flos Caryophylli (*Ding Xiang*)
Fructurs Evodiae Rutecarpae (*Wu Zhu Yu*)
Cortex Cinnamomi (*Rou Gui*)

Diese wurden wie oben beschrieben zubereitet und verabreicht. Vier Tage später berichtete die Mutter, daß es dem Kind deutlich besser ging. Der Bub erbrach nicht mehr, wirkte insgesamt kräftiger, und der Stuhl war wieder geformt. Ginseng, Atractylodes und Glycyrrhiza (Süßholz) wirken milzstärkend und Chi-aufbauend. Pinellia wandelt Schleim um und beseitigt Feuchtigkeit. Pinellia leitet außerdem Chi nach unten, und Erbrechen ist ja die Folge von anormal nach oben strömenden Chi. Zingiber (Ingwer), Caryophyllum (Nelken) und Zimt wärmen die Mitte und den Magen und leiten ebenfalls das fälschlicherweise nach oben strömende Chi wieder nach unten.

Ohrenschmerzen

Fall 1: Das Kind war ein sechs Jahre alter Junge. Er litt seit drei Tagen an einem schlimmen Husten und hatte jetzt auch noch starke Ohrenschmerzen. Der Stuhl war eher hart; sein Atem roch schlecht. Er hatte kaum Appetit und wirkte erschöpft. Die gerötete Zunge wies einen gelben Belag auf; der Puls war voll, schnell und schlüpfrig. Ich diagnostizierte die Ohrenschmerzen als Hitze im Magen-Darmtrakt, die nach oben strömte und sich in den Ohren ansammelte. Die Therapie mußte daher lauten: Beseitigung der Hitze aus Lungen und Magen bei gleichzeitiger Milzstärkung. Die Kräuterrezeptur, die ich verschrieb, war eine Variante des *Xiao Chai Hu Tang* („Kleiner-Bupleurum-Absud"):

Radix Bupleuri (*Chi Hu*)
Radix Scutellariae Baicalensis (*Huang Qin*)
Gypsum Fibrosum (*Shi Gao*)
Rhizoma Pinelliae Ternatae (*Ban Xia*)
Radix Codonopsis Pilosulae (*Dang Shen*)
Radix Glycyrhizae (*Gan Cao*)
Fructus Ziziphi Jujubae (*Da Zao*)
rohe Rhizoma Zingiberis (*Sheng Jiang*)

Gleichzeit gab ich der Mutter Ohrentropfen, die aus Wasser, Alum (*Bai Fan*), Borax (*Peng Sha*) und Borneol (*Bing Pian*) bestanden. Zusätzlich setzte ich eine Akupunkturnadel am *Pian Li* (LI 6). Das ist der Akupunkturpunkt, der das Verbindungsgefäß zwischen Magen und Darm zum Innenohr steuert. Darüber hinaus erklärte ich der Mutter, wie sie zur zusätzlichen Schmerzlinderung heiße und kalte Kompressen an den Ohren machen konnte. Am nächsten Tag waren die Ohrenschmerzen weg; der Husten klang zwei Tage später ab, und das Kind war wieder gesund.

Fall 2: Das Kind war ein 16 Monate alter kleiner Bub. Vor neun Monaten hatte er seine erste Ohrenentzündung. Der Kinderarzt therapierte prompt mit Antibiotika. Seitdem hatte er fünf verschiedene Antibiotika erhalten. Er bekam eine Ohrenentzündung, nahm Antibiotika ein, die Ohrenentzündung besserte sich – und begann 5–7 Tage später aufs neue. Daraufhin empfahl der Kinderarzt, Röhrchen in die Ohren einsetzen zu lassen. Als das Kind zu mir in die Praxis kam, schwankte der Stuhl zwischen flüssig und normal. Manchmal litt er nachts an Asthmapfeifen, zusätzlich noch an Husten und Schnupfen mit klar bis gelbem Nasenschleim. Er wirkte blasser als normal, leicht aufgedunsen, und hatte kalte Hände und Füße. Am Tag zuvor hatte er weißen Schleim erbrochen. Die Vene unten am Zeigefinger war größer und trat weiter hervor als normal, die Farbe war ein dunkles Violett.

Ich diagnostizierte Milzschwäche mit Nahrungsstau und Schleim, der sich periodisch in krankhafte Hitze umwandelt. Da das Kind zum Zeitpunkt der Untersuchung keine Ohrenschmerzen hatte, verschrieb ich eine simple Variante des *Xiao Chai Hu Tang* („Kleiner-Bupleurum-Absud"):

Radix Bupleuri (*Chai Hu*)
Radix Codonopsis Pilosulae (*Dang Shen*)
Rhizoma Pinelliae Ternatae (*Ban Xia*)
Radix Scutellariae Baicalensis (*Huang Qi*)
Radix Glycyrrhizae (*Gan Cao*)

Fructus Zzyphi Jujubae (*Da Zao*)
rohe Rhizoma Zingiberis (*Sheng Jiang*)
Massa Medica Fermentata (*Shen Qu*)

Ich wies die Mutter an, dem Kind diese Rezeptur regelmäßig über mehrere Monate zu verabreichen. Außerdem führte ich ein langes Gespräch mit ihr zum Thema Ernährung. Das Kind hatte immer Obst und rohes Gemüse, kalte Obstsäfte, kalte Milch, viel Brot, Erdnußbutter, Käse, Zucker und Süßigkeiten, darunter auch Eis und gefrorenen Joghurt gegessen – mit einem Wort, die absolute ernährungstechnische Katastrophe. Die Mutter meinte daraufhin, daß es wohl schwierig wäre, das Kind so radikal umzustellen, aber sie wolle es versuchen. Ich sagte ihr auch, daß höchstwahrscheinlich wieder eine Ohrenentzündung auftreten würde, nachdem jetzt die Antibiotika abgesetzt waren und sie möge dann doch nicht zum Kinderarzt laufen, sondern mich anrufen.

Einige Tage später rief sie mich wie vereinbart an. Nachdem die Antibiotika zu Ende waren, hatte das Kind sogleich wieder mit den Händen auf die Ohren geklopft. Der Stuhlgang war breiig bis flüssig und orange-gelb in der Farbe. Beim Atmen waren rasselnde Schleimgeräusche hörbar. Ich verschrieb diesmal eine andere Variante des *Xiao Chai Hu Tang*:

Radix Bupleuri (*Chai Hu*)
Radix Panacis Ginseng (*Ren Shen*)
Radix Scutellariae Baicanlensis (*Huang Qin*)
Rhizoma Pinellia Ternatae (*Ban Xia*)
Radix Glycyrrhizae (*Gan Cao*)
Fructus Zizyphi Jujubae (*Da Zao*)
rohe Rhizoma Zingiberis (*Sheng Jiang*)
Pericarpium Citri Reticulatae (*Chen Pi*)
Rhizoma Acori Graminei (*Shi Chang Pu*)
Radix Lugustici Wallichii (*Chuan Xiong*)
Radix Angelicae Dahuricae (*Bai Zhi*)

Citrus hatte ich zur Beseitigung der Feuchtigkeit und zur Umwandlung des Schleims hinzugefügt. Acorus war für die Umwandlung von Schleim und zur Öffnung der Ohrgänge gedacht. Ligusticum war dazu gedacht, die anderen Kräuter in die seitlichen Kopfbereiche zu leiten und die Schmerzen zu lindern. Angelica hingegen wirkte schmerzlindernd und leitete Hitze und Feuchtigkeit aus dem Kopfbereich aus. Zusätzlich verschrieb ich dem Kind nochmals die gleichen Ohrentropfen wie beim letzten Mal. Schon innerhalb eines Tages besserten sich die Ohrenschmerzen, und das Kind konnte wieder auf die alte Rezeptur umsteigen. In den drei darauffolgenden Monate hatte das Kind keine weitere Ohrenentzündung. Das Gesicht ist jetzt rosiger, Hände und Füße sind wärmer, und das Kind sieht auch nicht mehr so blaß und aufgedunsen aus. Auch die Atmung klingt wieder klarer. Insgesamt wirkt das Kind wesentlich stabiler.

Durchfall

Fall 1: Der Patient war ein zweieinhalb Monate alter kleiner Junge. Seine Mutter brachte ihn zu mir in die Praxis, weil er an einem explosiven, grünlichen Durchfall litt, der Schleim enthielt. Außerdem sabberte er ständig, hatte zweimal am Tag zwischen 15 Minuten und einer Stunde lang Durchfall und war aufgrund seiner Blähungsschmerzen völlig durcheinander. Manchmal schrie er auch, und wenn er schrie, bekam er ein puterrotes Gesicht und Schweißausbrüche. Ansonsten hatte er kalte Hände und Füße. Ich diagnostizierte in seinem Fall Milzmangel. Das bedeutet, daß zum einen Milzmangel und Feuchtigkeit vorlagen, dieser Zustand aber durch Angst verschlimmert wurde, die das Verhältnis zwischen seiner Milz und seiner Leber beeinträchtigte. Die Behandlungsprinzipien waren daher eine Stärkung der Milz, Entspannung der Leber und eine Beruhigung des Angstwindes. Ich stellte dazu folgende Rezeptur zusammen:

Radix Codonospsis Pilosulae (*Dang Shen*)
Rhizoma Atractylodis Macrocephalae (*Bai Zhu*)
Scletorium Poriae Cocos (*Fu Ling*)
Herba Agastachis Seu Pogostemi (*Huo Xiang*)
Semen Dolichoris Lablab (*Bian Dou*)
Radix Auklandiae Lappae (*Mu Xiang*)
getrocknete Rhizoma Zingiberis (*Gan Jiang*)
Radix Albus Paeoniae Lactiflorae (*Bai Shao*)
Ramulus Uncariae Cum Uncis (*Gou Teng*)

Diese Mischung wurde wie bei den anderen beschriebenen Fällen zubereitet und verabreicht. Codonopsis, Atractylodes, Dolichos, Poria und getrockneter Ingwer stärken die Milz, Agastaches beseitigt die Feuchtigkeit, Pueraria stoppt den Durchfall, und Auklandia harmonisiert Leber und Milz. Eine Woche später rief mich die Mutter an und teilte mir mit, daß der Stuhlgang wieder normal war, das Kind weniger Blähungen hatte und insgesamt wieder einen fröhlichen Eindruck machte.

Mundsoor

Fall 1: Die Patientin war ein sechs Wochen altes kleines Mädchen. Sie litt an Mundsoor, Blähungen sowie an kalten Händen und Füßen. Ihre Nägel waren blaß, und die Vene unten am Zeigefinger ließ sich kaum erkennen. Mundsoor wird zwar häufig durch Feuchtigkeit und Hitze verursacht, kann aber auch aufgrund eines Milzmangels entstehen. In diesem Fall spricht man von Mundsoor mit Mangelmuster, und so lautete auch meine Diagnose. Bei der Behandlung konzentrierte ich mich auf eine Stärkung der Milz und die Beseitigung der Feuchtigkeit. Meine Rezeptur dafür setzte sich wie folgt zusammen:

Radix Panacis Ginseng (*Ren Shen*)
Rhizoma Atractylodis Macrocephalae (*Bai Zhu*)
Sclerotium Poriae Cocos (*Fu Ling*)

Radix Puerariae (*Ge Gen*)
Radix Auklandiae Lappae (*Mu Xiang*)
Herba Agastachis Seu Pogostemi (*Huo Xiang*)
Radix Glycyrrhizae (*Gan Cao*)

Diese Kräuter wurden wie oben beschrieben zubereitet und verabreicht. Ginseng, Atractylodes, Poria und Glycyrrhiza (Süßholz) stärken die Milz. Pueraria leitet die Hitze, die sich aufgrund des Milzmangels gebildet hat, ab. Agastaches beseitigt die Feuchtigkeit, und Auklandia trägt zur Regulierung des Chi bei und leitet damit auch die Winde ab. Ich riet der Mutter auch zu einer gesunden, leichten Kost. Außerdem litt die Mutter selbst schon seit langem an chronischer Candidose (Befall mit Candida-Pilzen), die sich mittlerweile zu Multipler Sklerose entwickelt hat. Nach vier Tagen berichtete mir die Mutter, daß die Kleine zwar noch starke Blähungen hatte, der Mundsoor sich aber besserte: „Das weiße Zeug geht jetzt ab." Ich verschrieb nochmal die gleiche Mischung, fügte aber zusätzlich noch Radix Albus Paenoiae Lactiflorae (*Bai Shao*) zur Linderung der Blähungen und Magenkrämpfe hinzu. Nach weiteren zwei Tagen erzählte mir die Mutter, daß sich der Mundsoor weiter verbessert hatte und daß es noch etwas zu Blähungen kam, die aber nicht mehr so schmerzhaft waren. Wir verabreichten die gleiche Mischung insgesamt 17 Tage lang, und seitdem hatte das Kind keinen Mundsoor und keine Koliken mehr.

Kapitel 9

Anhang

Wie findet man einen TCM-kundigen Arzt oder Heilpraktiker?

Obwohl die Chinesische Medizin in Asien seit über 2.000 Jahren existiert, steckt sie hier in der westlichen Welt noch in den Kinderschuhen. In den USA zum Beispiel konzentrierte sich TCM lange Zeit auf die chinesischen oder asiatischen Viertel der Großstädte. Erst Mitte der siebziger Jahre wurden chinesische Heiltechniken wie Akupunktur und ähnliches immer beliebter ...

Aufrüttelnd waren besonders Berichte im Fernsehen, die Operationen zeigten, bei denen die Patienten lediglich mit Hilfe von Akupunkturnadeln betäubt wurden. Das ebnete dann den Weg für die Eröffnung von Akupunktur-Ausbildungsinstituten und chinesischen Krankenhäusern.

Anfang der achtziger Jahre stellten Ausbilder und Studenten allmählich fest, daß die Chinesische Medizin noch wesentlich mehr konnte als nur Akupunktur. Zahlreiche Ärzte und Heilpraktiker begannen sich für Chinesische Kräuterheilkunde zu interessieren.

Wer sich oder seine Kinder gerne nach TCM behandeln lassen möchte, kann sich ab S. 212 weitergehend informieren.

Bevor Sie sich jedoch mit Ihrem Kind in die Hände eines Arztes oder Heilpraktikers begeben, sollten Sie sich nach folgenden Punkten erkundigen:
1. Handelt es sich um einen zugelassenen Arzt oder Heilpraktiker?
2. Verfügt er/sie gerade für Akupunktur über einen entsprechenden Ausbildungsnachweis?
3. Hat er/sie außerdem eine Ausbildung in Chinesischer Kräuterheilkunde absolviert?
4. An welcher Ausbildungsstätte hat er/sie diese Ausbildung absolviert und wie lange hat sie gedauert?
5. Wie lange praktiziert er oder sie schon?
6. Hat er/sie auch eine Ausbildung in Chinesischer Kinderheilkunde?

7. Hat er/sie die Krankheit, an der Ihr Kind leidet, schon bei anderen Kindern behandelt, und wenn ja, mit welchem Erfolg?

Falls Sie sich an einen chinesischen Arzt, also an einen Asiaten wenden, prüfen Sie nach, ob Sie sich mit ihm in klarem Deutsch verständigen können. Es geht nämlich nicht nur darum, daß er ihnen im akuten Notfall ein Mittelchen verschreibt. Ein TCM-kundiger Arzt oder Heilpraktiker sollte Ihnen vielmehr eine Hilfestellung bieten, wie Sie oder Ihre Kinder ein gesünderes Leben führen können. Und dazu muß man sich miteinander klar verständigen können, sonst bekommt man nur einen Bruchteil davon mit, was Chinesische Medizin wirklich umfaßt.

Denken Sie daran, daß Mundpropaganda immer noch die beste Empfehlung ist. Oder Sie erkundigen sich bei den Verkäufern in einem Naturkostladen oder in einer Apotheke, ob diese von Kunden von einem guten TCM-erfahrenen Arzt oder Heilpraktiker gehört haben.

Sie würden ja auch nicht einfach den Elektriker rufen, wenn Ihre Wasserhähne kaputt sind! Ich rate Ihnen daher, sich nur an fachlich qualifizierte Leute zu wenden, die eine entsprechende Ausbildung hinter sich haben.

Die wichtigsten Meilensteine in der Entwicklung eines Kindes

Obwohl es eigentlich nicht zur Traditionellen Chinesischen Kinderheilkunde zählt, fragen mich viele Eltern häufig, ob sich ihr Kind normal entwickelt. Daher möchte ich hier im Anschluß für die Eltern ein paar allgemeine Richtlinien aufführen:

Körpergröße
Kinder unter zwei Jahre legt man zum Messen am besten auf den Rücken. Ab zwei Jahren können sie zum Messen aufrecht stehen. Als Daumenregel gilt, daß Kinder in den ersten fünf Monaten um 30 % und bis zu einem Jahr um 50 % wachsen. Bis zum Alter von fünf Jahren wachsen sie dann um das Doppelte. Danach verlangsamt sich das Wachstum bis zum Beginn der Pubertät. Während der Pubertät kommt es meist noch einmal zu einem Wachstumsschub.

Gewicht
Die Gewichtszunahme läuft normalerweise parallel zum Größenwachstum. Mit fünf Monaten haben die Säuglinge in der Regel ihr Gewicht verdoppelt; bis zu zwei Jahren ist es vervierfacht. Zwischen zwei und fünf Jahren sind die jährlichen Gewichtszunahmen ähnlich. Ab dem sechsten Lebensjahr verlangsamt sich die Gewichtszunahme bis zur Pubertät, um dann nochmals in der Wachstumsphase wieder anzusteigen.

Zahnen
Wie allen Lesern bekannt sein dürfte, ist das erste Gebiß eines Kindes kein bleibendes Gebiß. Kinder verlieren ihre Milchzähne nach ein paar Jahren wieder. Der Durchbruch der ersten Zähne, der unteren Schneidezähne, erfolgt zwischen dem sechsten und dem zehnten Monat. Zwischen dem neunten und dem dreizehnten Monat folgen die oberen mittleren Schneidezähne. Zwischen zehn und zwölf Monaten brechen die oberen seitlichen Schneidezähne durch,

zwischen zwölf und fünfzehn Monaten die unteren seitlichen Schneidezähne. Die ersten Backenzähne erscheinen zwischen dem elften und dem siebzehnten Monat, die Schneidezähne zwischen sechzehn und zwanzig Monaten, und die zweiten Backenzähne brechen zwischen zwanzig und dreißig Monaten durch.

Die zweiten, die bleibenden Zähne brechen etwa im Alter von fünf Jahren durch. Die ersten bleibenden Backenzähne erscheinen zwischen fünf und sieben Jahren, die Schneidezähne zwischen sechs und acht Jahren sowie die vorderen Backenzähne zwischen neun und zwölf Jahren. Die Eckzähne zeigen sich zwischen zehn und dreizehn Jahren, die zweiten Backenzähne zwischen elf und dreizehn und die Weisheitszähne zwischen siebzehn und fünfundzwanzig. Während das Milchgebiß bei Jungen und Mädchen etwa zur gleichen Zeit erscheint, stoßen die bleibenden Zähne bei Mädchen früher durch.

Die wesentlichen Entwicklungsschritte

Die folgenden Angaben sind lediglich als grobe Richtlinien zu betrachten. Manche Kinder sind diesen Angaben etwas voraus, andere brauchen etwas länger. Wenn ein Kind dabei ist, eine neue Fähigkeit zu erlernen, probiert es sie immer wieder und immer wieder und wird schließlich frustiert, wenn es nicht klappt. Dann hört es damit eine Zeit lang auf und wenn es diese Fähigkeit in einem späteren Anlauf erneut versucht, klappt es plötzlich ganz mühelos. Daher scheint es oft, als würden Kinder einen Rückschritt machen, obwohl sie in Wirklichkeit kurz vor einem entscheidenen Entwicklungssprung stehen.

Geburt

Neugeborene schlafen fast die ganze Zeit. Sie können Nahrung aufnehmen, ihre Atemwege befreien und Unmut oder Schmerzen mit Schreien kundtun.

209

Sechs Wochen

Jetzt erkennt der Säugling bereits Gegenstände, die sich in seinem Sichtfeld befinden. Er lächelt, wenn er angesprochen wird und kann bereits flach auf dem Bauch liegen. Hebt man das Baby jedoch in eine sitzende Position, kann es seinen Kopf noch nicht alleine halten.

Drei Monate

Ein drei Monate altes Baby lacht schon spontan. Es gibt Laute von sich und verfolgt einen Gegenstand mit den Augen. Babys mit drei Monaten können bereits aufrecht mit erhobenem Kopf sitzen und Gegenstände, die man ihnen in die Hand gibt, festhalten.

Sechs Monate

Mit sechs Monaten können die meisten Babys mit Rückenstütze sitzen und sich umdrehen. Mit Festhalten ziehen sie sich sogar schon zum Stand hoch. Sie sind in der Lage, Gegenstände von einer Hand in die andere zu wechseln und plappern mit ihrem Spielzeug.

Neun Monate

Ein neun Monate altes Kind sitzt sicher, krabbelt und zieht sich in den Stand hoch. Es sagt gewöhnlich schon Mama und Papa, spielt Backe-backe-Kuchen und winkt. Außerdem kann es seine Flasche selbst halten.

Ein Jahr

Mit einem Jahr kann das Kind meist schon an der Hand laufen. Ein Einjähriges beherrscht mehrere Wörter und hilft beim Anziehen.

Eineinhalb Jahre

Eineinhalbjährige laufen bereits recht sicher, können Treppen steigen (mit Festhalten), blättern mehrere Seiten auf einmal um, beherrschen etwa ein Dutzend Vokabeln, spielen mit Marionetten und können zum Teil schon alleine essen.

Zwei Jahre

Zweijährige Kinder laufen sicher, steigen alleine die Treppen rauf und runter, können Seiten einzeln umblättern, ziehen sich einfache Kleidung selbst an, bilden einfache, aus zwei, drei Wörtern bestehende Sätze und können verbal mitteilen, wenn sie auf die Toilette müssen. In diesem Alter werden Kinder unabhängiger, was auch nötig ist und sich in häufigem Neinsagen ausdrückt. Aus diesem Grund nennt man den Lebensabschnitt zwischen zwei und drei Jahren auch gerne das „Trotzalter".

Drei Jahre

Kinder mit drei Jahren fahren Dreirad, können sich selbständig anziehen (bis auf Knöpfe und Schuhbänder), zählen bis zehn, sprechen im Plural, essen selbständig und stellen ständig Fragen.

Vier Jahre

Das Kind nimmt jetzt beim Treppensteigen jeweils eine Stufe mit einem Bein, kann Bälle mit einer Hand werfen und auf einen Fuß hüpfen. Es kann ein Kreuz nachmalen, kennt mindestens eine Farbe und wäscht sich selbständig Hände und Füße. Außerdem gehen Vierjährige schon alleine auf die Toilette.

Fünf Jahre

In diesem Alter können Kinder hüpfen, einen aufspringenden Ball fangen, ein Dreieck nachmalen, kennen vier Farben und ziehen sich alleine an und aus.

Weiterführende Informationen/Literaturhinweise

Deutschland

Adressen von Arzt- und Heilpraktikerpraxen nach der Traditionellen Chinesischen Medizin

Dr. med R. Pothmann (Facharzt für Kinderheilkunde)
Sozialpädiatrisches Zentrum
Virchowstr. 20
46047 Oberhausen
Telefon.: 0208 / 8810-0

Dr. med. Michael Grandjean
Facharzt für Allgemeinmedizin und Traditionelle Chinesische Medizin
Schäfergasse 22
65428 Rüsselsheim
Telefon: 06142 / 96 59 59
Telefax: 06142 / 96 59 61

Dr. med. Klaus Birker
Facharzt für Allgemeinmedizin und Traditionelle Chinesische Medizin
Schwalbacher Str. 18
56357 Strüth
Telefon: 06775 / 308

B. Kirschbaum / W. Geiger (Heilpraktiker)
Gemeinschaftspraxis
Osterstrasse 83
20259 Hamburg
Telefon: 040 / 4918 007
Telefax: 040 / 4918 006

Dr. med. Jörg Kastner
Dan-Tien-Zentrum für Akupunktur, Traditionelle Chinesische Medizin und Diätetik
Königsallee 22
44789 Bochum
Tel.: 0234 / 30 11 58

TCM-Klinik Kötzting
Erste Deutsche Klinik für Traditionelle Chinesische Medizin
Ludwigstr. 2
D-93444 Kötzting
Telefon: 09941 / 609-0

Christiane Seifert (Heilpraktikerin)
Praxis für Traditionelle Chinesische Medizin und Ernährungsberatung
Am Rheinhessenblick 7
55296 Horxheim
Telefon.: 06138 / 7798

212

Weitere Adressen von Arzt- und Heilpraktikerpraxen nach der Traditionellen Chinesischen Medizin können Sie erfragen bei:

Arbeitsgemeinschaft für Klassische Akupunktur und Traditionelle Chinesische Medizin Congress Organisation C. Schäfer
Postfach 40 03 05
80703 München
Telefon: 089 / 3071281
Telefax: 089 / 3071021

Deutsche Ärztegesellschaft für Akupunktur
Raglovichstr. 14
80637 München

Adressen für Ernährungsberatung nach der Traditionellen Chinesischen Medizin

Barbara Temelie
Ernährungsberatung, Seminare, Ausbildungen
Kiefernweg 30
44801 Bochum
Tel./Fax. 0234 / 7731 888

Beatrice Trebuth
(Heilpraktikerin)
Praxis für Traditionelle Chinesische Medizin und Diätetik
Georgenschwaigstr. 15
80807 München
Tel.: 089 / 35 97 367

Gabriele Klinger
(Heilpraktikerin)
Praxis für Ernährungsberatung
Ernährungsberatung, Seminare, Kochkurse
Beethovenstr.18
60325 Frankfurt
Tel.: 069 / 752899

Karola Schneider
(Heilpraktikerin)
Praxis für Traditionelle Chinesische Medizin und Ernährungsberatung
Unterschwarzenberg 18
87466 Oy-Mittelberg
Tel.: 08366 / 98685

Christiane Seifert
(Heilpraktikerin)
Ernährungsberatung, Seminare und Kochkurse
Am Rheinhessenblick 7
55296 Horxheim
Tel.: 06138 / 7798

213

Österreich

Adressen von Arzt- und Heilpraktikerpraxen nach der Traditionellen Chinesischen Medizin können Sie erfragen bei:
Österreichische Gesellschaft für Akupunktur und Aurikulotherapie
Ludwig Boltzmann Institut für Akupunktur
Leitung: Prof. Dr. J. Bischko, Dr. H. Nissel
Kaiserin-Elisabeth-Spital
Huglgasse 1–3
1150 Wien
Telefon: 01 / 981045754
Telefax: 01 / 981045760

Österreichische Gesellschaft für TCM
Wickenburggasse 4/1
1080 Wien
Telefon: 01 / 4069793
Telefax: 01 / 5868900

Ernährungsberatungen nach der Traditionellen Chinesischen Medizin
Susanne Peroutka
Praxis für Ernährung nach den fünf Elementen
Ernährungsberatungen, Seminare, Kochkurse
Hernalser Hauptstr. 31
1170 Wien
Tel. 01 / 40 29 186

Schweiz

Adressen von Arzt- und Heilpraktikerpraxen nach der Traditionellen Chinesischen Medizin können Sie erfragen bei:

Basler Gesellschaft für TCM
U. Pretot
Hammerstr. 44
4058 Basel
Telefon: 061 / 6810343

Berner Gesellschaft für TCM
E. Sonderegger
Bremgartenstr. 115
3012 Bern
Telefon: 031 / 3027633

Züricher Gesellschaft für TCM
Dr. A. Renfer
Wilfriedstr. 8
8032 Zürich
Tel./Fax: 01 / 2673020

Literaturhinweise

M. Grandjean, K. Birker: Das Handbuch der Chinesischen Heilkunde, Joy Verlag 1996

Ted Kaptchuk: Das große Buch der Chinesischen Medizin, O.W. Barth Verlag 1990

I. Daiker, B. Kirschbaum: Die Heilkunst der Chinesen, Rowolt Verlag 1996

R. Pothmann, A. C. Meng, Akupunktur in der Kinderheilkunde, Hippokrates Verlag 1996

B. Temelie, B. Trebuth: Die Fünf Elemente Ernährung für Mutter und Kind, Joy Verlag 1994

B. Temelie: Ernährung nach den Fünf Elementen, Joy Verlag 1992

B. Temelie, B. Trebuth: Das Fünf Elemente Kochbuch, Joy Verlag 1993

Index